EL NIÑO Y SU MUNDO

EL NIÑO Y SU MUNDO

Tu hijo juega y aprende

150 juegos y actividades de aprendizaje para niños de 3 a 6 años

Penny Warner

Título original: *Preschooler Play and Learn*
Publicado en inglés por Meadowbrook Press

Traducción de Elena Barrutia

Diseño de cubierta: Valerio Viano

Ilustraciones de cubierta e interiores: Jack Lindstrom

Distribución exclusiva:
Ediciones Paidós Ibérica, S.A.
Mariano Cubí 92 - 08021 Barcelona - España
Editorial Paidós, S.A.I.C.F.
Defensa 599 - 1065 Buenos Aires - Argentina
Editorial Paidós Mexicana, S.A.
Rubén Darío 118, col. Moderna - 03510 México D.F. - México

ISBN: 84-9754-124-3
Depósito legal: B-30.299-2004

Impreso en Hurope, S.L.
Lima, 3 bis - 08030 Barcelona

Impreso en España - *Printed in Spain*

ÍNDICE

INTRODUCCIÓN

Bienvenido a *Tu hijo juega y aprende*. Ahora que tu hijo ha dejado de ser un bebé está preparado para jugar y divertirse más en lo que los expertos denominan la «fase del juego». Y tú, como padre o cuidador, eres su mejor juguete, porque aprenderá más de ti que de cualquier otra cosa. Jugando e interactuando contigo, tu hijo crecerá rápidamente en todos los aspectos de su desarrollo.

Entre los tres y los seis años experimentará una serie de cambios sorprendentes en los siguientes ámbitos:

Desarrollo físico

- *Motricidad gruesa:* El cuerpo de tu hijo es cada vez más flexible. Sus brazos y sus piernas se están alargando y fortaleciendo y, por lo tanto, es capaz de hacer más ejercicios de motricidad gruesa como correr, saltar, escalar, rodar, balancearse, andar en triciclo e incluso patinar y esquiar.
- *Motricidad fina:* A medida que sus dedos se alarguen y se afinen mejorará en las tareas que exijen habilidad manual, como dibujar, pintar, comer y vestirse solo, atarse los zapatos y lavarse los dientes.
- *Coordinación y equilibrio:* El aumento de la coordinación de sus movimientos y su capacidad para mantener el equilibrio le abrirá nuevas puertas a la hora de realizar actividades, deportes sencillos y juegos avanzados.

PADRES: Te proporcionamos una gran cantidad de ideas para ayudar a tu hijo a desarrollar sus capacidades físicas. Hemos incluido juegos dinámicos para desarrollar la motricidad gruesa, actividades creativas para desarrollar la motricidad fina y tareas sencillas para potenciar la coordinación y el equilibrio.

Desarrollo cognitivo

- *Capacidad de pensar:* A medida que el cerebro de tu hijo se desarrolle, mejorará considerablemente su capacidad para pensar y resolver problemas. Será capaz de razonar con más precisión, buscar soluciones a las tareas y recordar cosas más detalladamente durante periodos más largos de tiempo.

PADRES: Te ayudaremos a estimular a tu hijo con interesantes tareas que potenciarán su desarrollo cerebral y le permitirán practicar su capacidad para pensar con juegos y actividades muy divertidas.

Capacidad de expresión

- *Pensamiento simbólico:* Durante este periodo, la capacidad lingüística de tu hijo se desarrollará de un modo asombroso. A medida que aumente su capacidad cognitiva, comenzará a pensar simbólicamente a través del lenguaje. Sustituirá dibujos y gestos por palabras y comprenderá el significado de cientos de conceptos. Utilizará palabras para expresar sus necesidades, compartir sentimientos y relacionarse socialmente.
- *Vocabulario:* Con seis años tu hijo tendrá un vocabulario de más de diez mil palabras, comprenderá las reglas gramaticales básicas y aprenderá de seis a diez palabras nuevas cada día.

PADRES: Te proponemos una serie de técnicas para potenciar la capacidad de expresión de tu hijo con juegos de palabras, temas de conversación interesantes, rimas sencillas y actividades repetitivas. También hemos incluido ejercicios de prelectura y preescritura que le ayudarán más adelante a tener éxito en la escuela.

Desarrollo psicológico

- *Autoconocimiento:* A medida que tu hijo se desarrolle física y cognitivamente, será más consciente de su identidad. Reconocerá las distintas partes de su cuerpo, mostrará sus juguetes, hará dibujos sencillos de sí mismo y de su familia y le gustará decir su nombre y su edad.
- *Confianza y autoestima:* Con el autoconocimiento viene la confianza en uno mismo, que conduce a la autoestima. Cuando tu hijo comience a conocerse mejor tendrá más confianza en su capacidad para intentar cosas nuevas, asumir riesgos y completar tareas. Cada éxito potenciará su autoestima, que le llevará a nuevos retos y éxitos.

PADRES: Con las ideas que te presentamos podrás ayudar a tu hijo a aprender más sobre sí mismo a través de actividades físicas, creativas y de interacción social. Incluimos, además, consejos para mejorar su autoconocimiento y su autoestima a través de juegos interactivos y actividades centradas en el éxito.

Expresión emocional

- *Manifestación de sentimientos:* Psicológicamente tu hijo ha superado la fase del reflejo del llanto y puede expresar sus sentimientos, deseos y necesidades de una forma más adecuada. Cuando comprenda y controle mejor sus emociones será capaz de verbalizar sus sentimientos y expresarlos a través de actividades artísticas y juegos de simulación.

PADRES: Te ofrecemos muchos consejos para ayudar a tu hijo a expresar sus emociones de un modo positivo. Como le encantan las simulaciones, hemos incluido actividades para ayudarle a canalizar y expresar sus sentimientos a través de juegos dramáticos e imaginativos.

Habilidades sociales

- *Interacción social:* La capacidad social de tu hijo aumentará al relacionarse con más gente en casa, en el barrio y en la comunidad. Llevarse bien con los demás es esencial para tener éxito en todos los aspectos de la vida y, por lo tanto, debería pasar mucho tiempo con sus amigos y compañeros.

PADRES: Encontrarás una gran cantidad de actividades para ayudar a tu hijo a desarrollar sus habilidades sociales a través de simulaciones y juegos en los que es necesario hacer turnos, colaborar y compartir.

Proporcionándole un entorno educativo estimulante, tú como padre o cuidador puedes ayudar a tu hijo a desarrollar todo su potencial. Recuerda que:

1. Tu hijo aprende a través del juego, sobre todo si tú participas en él activamente.
2. Eres su mejor maestro y puedes hacer que el aprendizaje resulte divertido.
3. Disfruta del tiempo que pases con tu hijo. La inversión tendrá más beneficios de los que puedas imaginar.

Lo único que necesitas son unas cuantas ideas estimulantes, algunos materiales creativos y tiempo para pasarlo bien. ¡Y aquí estamos nosotros para ayudarte! En este libro encontrarás:

- 150 juegos y actividades con fantásticos retos y recompensas.
- Edades recomendadas para cada juego y actividad.
- Una lista de los materiales necesarios para cada juego y actividad.
- Instrucciones detalladas para cada juego y actividad.
- Variaciones para potenciar el aprendizaje y la diversión.
- Consejos de seguridad para que tu hijo no se haga daño mientras juegue.
- Una lista de las capacidades que desarrollará tu hijo con cada actividad.

Diviértete con tu pequeño durante la fase del juego y disfruta del cambio de la torpeza a la destreza, de unas pocas palabras a un amplio vocabulario, de un niño egocéntrico a un ser humano sociable. El vínculo que establezcas con tu hijo en estos años durará para siempre.

DE TRES AÑOS A TRES AÑOS Y MEDIO

Bienvenido al periodo reflexivo de los tres años. A medida que crezca, tu hijo estará cada vez más alto y delgado. Estos cambios corporales irán acompañados de unos cambios espectaculares en sus capacidades físicas:

- La coordinación motriz de tu hijo se desarrollará a medida que mueva los brazos, las piernas, las manos y los dedos para realizar tareas específicas. Dale muchas oportunidades para que practique su motricidad fina y gruesa dentro y fuera de casa.
- Tu hijo es cada vez más hábil físicamente, está adquiriendo confianza para afrontar nuevos retos y cree que es capaz de hacer casi cualquier cosa. Ofrécele oportunidades para alcanzar sus objetivos y reforzar su autoestima.
- Tu hijo está experimentando una gran libertad de movimientos. Está aprendiendo a mover su cuerpo de formas creativas, no sólo andando, sino también corriendo, saltando, rodando, bailando, escalando y brincando. Asegúrate de que tenga el espacio necesario para practicar estas capacidades.
- El desarrollo de la motricidad fina le permitirá realizar tareas más complejas, como dibujar, pintar, recortar y pegar. Dale materiales que le ayuden a desarrollar su habilidad manual.

De 3 a 3 ½ años

PARTES DE ANIMALES

Dile a tu hija que empareje las cabezas y las colas de varios animales. O deja que se divierta creando animales fantásticos.

Materiales:
- Fotos de animales de revistas o cuentos baratos
- Unas tijeras
- Cola o pegamento
- Hojas de cartulina
- El suelo o una mesa

Aprendizaje:	
	• Conocimiento del cuerpo • Capacidad de clasificación • Capacidad mental/cognitiva • Desarrollo de la motricidad fina

Instrucciones:
1. Recorta varias fotos de animales.
2. Corta las fotos por la mitad para separar la parte de la cabeza de la de la cola.
3. Pon las cabezas en el suelo o en una mesa delante de tu hija.
4. Coge una cola y dile que la empareje con la cabeza correspondiente.
5. Ayúdale a pegar cada animal completo en una hoja de cartulina.
6. Repite el proceso hasta que todos los animales estén reconstruidos.

Variación: Dile a tu hija que mezcle a propósito las cabezas y las colas para crear animales disparatados.

Seguridad: Guarda las tijeras después de recortar las fotos y asegúrate de que tu hija no se meta la cola en la boca.

De 3 a 3 ½ años

ANDARES DE ANIMALES

Tu hijo se lo pasará en grande andando como los animales. Ayúdale a utilizar su imaginación para mover los brazos, las piernas, la cabeza y el cuerpo.

Materiales:

- Una habitación grande
- Libros con animales que anden de una forma característica, como patos, cangrejos, ranas, canguros, elefantes, pollos, conejos, focas, serpientes y orugas

Aprendizaje:

- Capacidad de clasificación
- Simulación
- Expresión emocional
- Desarrollo de la motricidad gruesa
- Interacción social

Instrucciones:

1. Hojea varios libros de animales.

2 Mientras lees anima a tu hijo a andar como los animales de los libros.

3 Describe los movimientos y demuéstrale cómo se hacen si es necesario. Por ejemplo, explícale que el pato anadea, el cangrejo se mueve hacia los lados, el canguro salta, el elefante da pasos pesados, el pollo corretea, el conejo da saltitos, la foca se resbala, la serpiente se desliza y la oruga... ¿cómo andan las orugas?

Variación: Turnaos para que uno ande como un animal y el otro adivine de qué animal se trata.

Seguridad: Asegúrate de que en la zona no haya ningún obstáculo.

FRASES AL REVÉS

Anima a tu hija a jugar con las palabras para ayudarle a desarrollar su capacidad verbal diciendo frases hacia atrás.

Materiales:
- Utensilios para comer

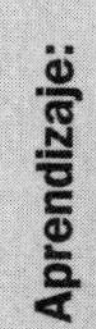

Aprendizaje:
- Capacidad mental/cognitiva
- Expresión emocional
- Desarrollo del lenguaje y el vocabulario
- Ordenación
- Interacción social

Instrucciones:
1. Juega a la hora de comer para que tu hija pueda utilizar frases conocidas.
2. Comienza con frases sencillas como «Más leche por favor» y «Muchas gracias». Dilas al revés: «Por favor leche más» y «Gracias muchas».
3. Hazlo unas cuantas veces para que comprenda cómo se juega.
4. Introduce frases más largas a medida que tu hija aprenda a jugar.

Variación: Elegid una hora para decir y hacer todo al revés; intentad representar al revés una escena de uno de vuestros cuentos favoritos.

Seguridad: Si tu hija se siente frustrada porque no entiende el juego, utiliza sólo frases de dos palabras, o déjalo y vuelve a intentarlo unos días más tarde.

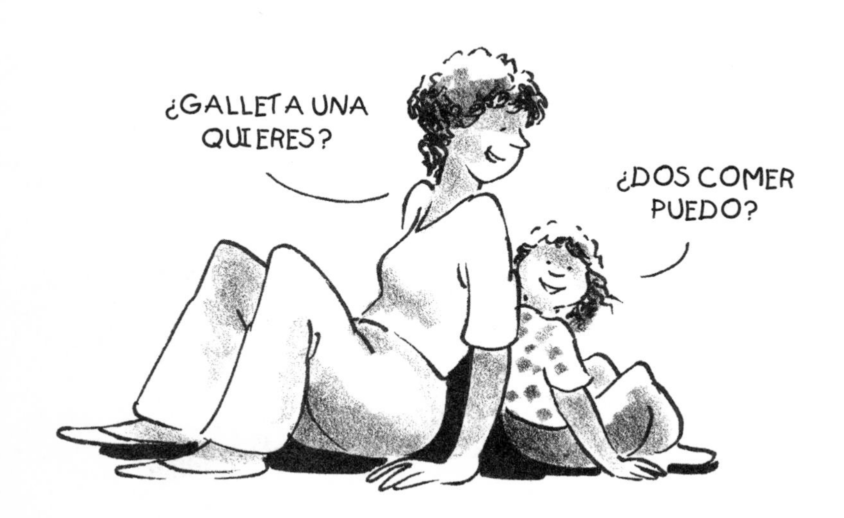

De 3 a 3 ½ años

COCHE DE CARTÓN

Una simple caja puede convertir a un niño en un genio creativo y ayudarle a hacer cosas maravillosas con su mente y su cuerpo.

Materiales:
- Una caja grande en la que quepa tu hijo
- Unas tijeras o un cúter
- Cinta adhesiva
- Rotuladores, pinturas, pegatinas, calcomanías y otros materiales decorativos
- Libros de coches y camiones

Aprendizaje:
- Conocimiento del cuerpo
- Creatividad e imaginación
- Desarrollo de las motricidades fina y gruesa
- Relaciones espaciales

Instrucciones:
1. Leed juntos un libro de coches y camiones y observad las fotografías.
2. Corta la parte superior e inferior de una caja grande dejando los laterales intactos.
3. Si es necesario, cubre los bordes irregulares y refuerza las esquinas con cinta adhesiva.
4. Ayuda a tu hijo a decorar la parte exterior de la caja para que parezca un coche o un camión con rotuladores, pinturas y pegatinas.
5. Cuando el coche esté terminado, deja que el niño dé una vuelta por la casa o por el jardín.
6. Para que resulte más divertido haz carreteras con cuerdas y pon señales de stop a lo largo del camino.

Variación: En lugar de un coche, haz un barco o un avión para que tu hijo vuele o navegue.

Seguridad: Ten cuidado con las tijeras o el cúter si el niño anda cerca.

De 3 a 3 ½ años

¿EN QUÉ ESTOY PENSANDO?

Si le proporcionas suficientes pistas, tu hija adivinará en qué estás pensando en un santiamén. Dale una oportunidad para que también ella te ponga a prueba a ti.

Aprendizaje:
- Capacidad de clasificación
- Capacidad mental/ cognitiva
- Desarrollo del lenguaje y el vocabulario
- Imágenes mentales
- Resolución de problemas

Materiales:
- Una habitación con objetos interesantes

Instrucciones:
1. Elige un objeto interesante que se vea bien, por ejemplo una figurita.
2. Dile a tu hija que estás pensando en una cosa de esa habitación y dale una pista, por ejemplo el color, el tamaño o la forma.
3. Pídele que adivine de qué objeto se trata.
4. Si se equivoca, dale otra pista y deja que vuelva a intentarlo.
5. Continúa hasta que acierte.
6. Deja que ella elija un objeto y te dé pistas a ti para que lo adivines.

Variación: Este juego es estupendo para ir en el coche o esperar en una cola.

Seguridad: Asegúrate de que el objeto esté bien visible. No elijas nada que pueda ser peligroso para la niña.

LAVACOCHES

Incluso a los niños que odian los baños les gusta el «lavacoches», y mientras se lavan aprenden algo.

Materiales:
- Una bañera
- Espuma de baño
- Gafas de bucear
- Esponjas y paños
- Jabón y champú
- Pulverizadores y atomizadores
- Toallas
- Loción

Aprendizaje:	• Conocimiento del cuerpo • Capacidad mental/cognitiva • Creatividad e imaginación • Desarrollo de la motricidad gruesa

Instrucciones:

1. Llena la bañera de agua caliente.
2. Añade espuma de baño mientras se llene la bañera.
3. Mete a tu hijo en la bañera y ponle las gafas sobre los ojos.
4. Pásale las esponjas y los paños por todo el cuerpo.
5. Dale champú en el pelo y enjabónale con el jabón.
6. Aclárale con pulverizadores como si fuese un coche.
7. Sécale con una toalla.
8. Encérale con la loción para que quede reluciente.

Variación: Sigue los mismos pasos en la ducha para que tu hijo pase por el «lavacoches» también ahí.

Seguridad: Procura que no le entre jabón en los ojos. Asegúrate de que el agua no esté demasiado caliente y ten cuidado de que el niño no resbale. *No le dejes nunca solo en la bañera.*

COLOREA TU MANO

Ayuda a tu hija a aprender las partes del cuerpo creando un libro para colorear personal. Comienza con su mano, sube por el brazo y los codos hasta la cara y luego baja por el estómago, las piernas, las rodillas y los pies.

Materiales:
- Una fotocopiadora
- Rotuladores o pinturas

Aprendizaje:	
	• Conocimiento del cuerpo • Capacidad de clasificación • Coordinación óculo-manual • Desarrollo de la motricidad fina • Autoestima

Instrucciones:
1. Pon la mano de tu hija sobre el cristal de una fotocopiadora.
2. Cúbrele la mano con la tapa.
3. Dile que cierre los ojos cuando la máquina se ponga en marcha para que no le haga daño la luz.
4. Pulsa el botón para hacer una copia.
5. Lleva la copia a casa. Si no queda muy nítida, perfila la mano con un rotulador negro antes de que la niña la coloree con rotuladores o pinturas.
6. Deja que añada los detalles que quiera, por ejemplo anillos, pulseras o las uñas pintadas.

Variación: Fotocopia muchas partes del cuerpo y dile a tu hija que las una al llegar a casa. Cuando coloree los dibujos, verá lo divertido que puede ser su cuerpo.

Seguridad: Asegúrate de que la niña cierre los ojos mientras la máquina haga las copias, y protégete tú también.

De 3 a 3 ½ años

SIGUE LAS PEGATINAS

Con esta versión de la búsqueda del tesoro tu hijo seguirá un camino que le conducirá donde tú quieras.

Materiales:

- Una docena de pegatinas de colores
- Un dulce o un juguete pequeño
- Una zona de juego grande

Aprendizaje:	• Capacidad mental/cognitiva • Desarrollo de la motricidad gruesa • Imaginación • Resolución de problemas • Discriminación y seguimiento visual

Instrucciones:

1. Compra un paquete de pegatinas de colores.
2. Traza un camino en casa o en el jardín para que tu hijo lo siga.
3. Pon pegatinas a lo largo del camino cada pocos centímetros.
4. Coloca al final un dulce o un juguete.
5. Dile a tu hijo que entre en la zona de juego para buscar un camino que le llevará a una recompensa.
6. Felicítale cuando descubra su premio.

Variación: Para que la búsqueda resulte más interesante, pon las pegatinas más separadas cada vez que juguéis. Además, deja que tu hijo trace un camino de pegatinas y elija una recompensa para que tú la encuentres.

Seguridad: Evita que el niño tenga que subir a sitios altos o se acerque a objetos peligrosos.

PARES

Enseña a tu hija a emparejar objetos que vayan juntos y luego dile que invente un juego de parejas para ti.

Materiales:

- Objetos que vayan juntos, por ejemplo un zapato y un calcetín, un lápiz y un papel, un plato y un tenedor, una esponja y un jabón, un cepillo de dientes y un dentífrico, un peine y un lazo, mostaza y ketchup y cosas similares
- El suelo o una mesa

Aprendizaje:	
	• Capacidad de clasificación • Capacidad mental/ cognitiva • Desarrollo del lenguaje y el vocabulario • Capacidad de asociación

Instrucciones:

1. Reúne varios pares de objetos que vayan juntos pero no sean idénticos.
2. Separa esos objetos en dos montones.
3. Pon el primer montón en el suelo o sobre una mesa delante de tu hija.
4. Coge un objeto del otro montón y enséñaselo.
5. Dile que busque su pareja.
6. Deja el par emparejado a un lado y elige otro objeto.
7. Continúa hasta que todos los objetos estén emparejados.
8. Comenta por qué van juntos esos objetos y en qué se diferencian.
9. Dile a tu hija que elija unos cuantos objetos para que tú los empareies.

Variación: Pon todos los objetos en el suelo o sobre la mesa y deja que la niña decida cuáles van juntos.

Seguridad: Comprueba que todos los objetos sean seguros.

De 3 a 3 ½ años

ADIVINA EL FINAL

Enseña a tu hijo a adivinar el final de una historia para que pueda aplicar esta capacidad a todo tipo de actividades cognitivas, sobre todo a la hora de resolver problemas.

Materiales:

- Un libro ilustrado con un final emocionante

Aprendizaje:	• Capacidad mental/cognitiva • Creatividad e imaginación • Desarrollo del lenguaje y el vocabulario • Resolución de problemas • Secuencias

Instrucciones:

1. Busca un lugar confortable para leer el libro.
2. Lee a tu hijo parte de la historia y detente antes de llegar al final.
3. Pregúntale qué cree que va a pasar.
4. Anímale a pensar en varios finales posibles.
5. Lee el resto del libro para averiguar cómo termina la historia.
6. Compara ese final con los que él ha imaginado.
7. Haz lo mismo con otros libros.

Variación: Ved la primera parte de una película. Repite los pasos anteriores, deteniéndote a la mitad para hablar de los posibles finales.

Seguridad: Procura elegir libros con finales felices en los que se arreglen los problemas y las soluciones sean satisfactorias. De lo contrario, tu hijo podría sentirse frustrado.

De 3 a 3 ½ años

MANO CONVERTIBLE

Anima a tu hija a usar su imaginación para ver qué puede crear con el perfil de su propia mano.

Materiales:
- Hojas de papel
- Rotuladores

Aprendizaje:	• Conocimiento del cuerpo • Creatividad e imaginación • Desarrollo de la motricidad fina • Autoconocimiento/ autoestima

Instrucciones:
1. Traza el perfil de la mano de tu hija en varias hojas de papel.
2. Dile que pinte las manos para convertirlas en lo que quiera, por ejemplo en un pavo, un gallo, un jardín con flores, una cara con mucho pelo, un amanecer, un monstruo divertido o un puercoespín.
3. Observa cuántas cosas diferentes puede hacer con el contorno de su mano.

Variación: Haz también dibujos de los pies para ver qué puede hacer tu hija con ellos.

Seguridad: Utiliza rotuladores no tóxicos.

SONIDOS DIFERENTES

Enseña a tu hijo a discriminar distintos sonidos, sobre todo los que suenen de forma parecida. Con este juego aprenderá a escuchar y acabará siendo un experto en sonidos.

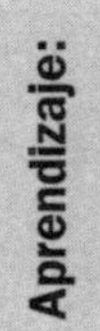

Aprendizaje:
- Capacidad de atención
- Capacidad de clasificación
- Capacidad mental/cognitiva
- Discriminación auditiva
- Imágenes mentales

Materiales:
- Varios pares de objetos con sonidos diferentes de distintas categorías:
  - –2 aparatos eléctricos: un abrelatas y una batidora
  - –2 timbres: el de la puerta y el del teléfono
  - –2 instrumentos musicales: un piano y una guitarra
  - –2 animales: un perro y un gato
  - –2 juguetes: una pelota y un bloque de construcción
- Un magnetófono y una cinta
- Una mesa

Instrucciones:
1. Busca varios pares de objetos relacionados y graba sus sonidos.
2. Pon los objetos más pequeños sobre una mesa.
3. Dile a tu hijo que escuche la cinta y señale el objeto que esté sonando. Para encontrar los objetos más grandes, como el piano o los animales, es posible que tenga que moverse por la casa. Para la cinta si necesita más tiempo y repite los sonidos, si es preciso.
4. Cuando haya identificado todos los sonidos, separa los objetos en pares y comenta en qué se parecen y en qué se diferencian.

Variación: No pongas nada sobre la mesa para que tu hijo adivine cada objeto cuando suene en la cinta. O ponle sólo un sonido, deja que señale el objeto y luego dile que elija otro objeto que haga un sonido similar.

Seguridad: Asegúrate de que el volumen no esté muy alto y evita los sonidos espeluznantes.

De 3 a 3 ½ años

VAMOS A HACER UN LIBRO

Anima a tu hija a contar una historia y a hacer su propio libro, como los de la biblioteca.

Materiales:

- Revistas infantiles o cuentos baratos
- Papel, cola, cinta adhesiva, unas tijeras y una grapadora
- Rotuladores

Aprendizaje:	
	• Capacidad mental/cognitiva • Creatividad e imaginación • Desarrollo del lenguaje y el vocabulario • Secuenciación

Instrucciones:

1. Recorta de ocho a diez ilustraciones de cuentos o revistas infantiles.
2. Extiéndelas en el suelo para que se vean bien.
3. Pega las ilustraciones en hojas de papel (una por página), dejando en la parte inferior suficiente espacio para escribir unas cuantas líneas.
4. Dile a tu hija que vaya eligiendo ilustraciones para formar con ellas un montón.
5. Pon una hoja de papel sobre el montón y grapa todas las páginas.
6. Dile a la niña que mire la primera ilustración y empiece a contar una historia que esté relacionada con ella de algún modo.
7. Escribe lo que diga debajo de la ilustración.
8. Pasa la página para que mire la segunda ilustración y siga contando la historia mientras tú escribes lo que diga en la parte inferior.
9. Continúa hasta llegar al final del libro.
10. Dile que piense en un título y escríbelo en la hoja de arriba.
11. Leed la historia juntas.

Variación: Dile a tu hija que cuente una historia mientras tú la escribes. Luego dile que haga unos dibujos para ilustrarla. Cuando el libro esté terminado, contad la historia de nuevo.

Seguridad: Ten cuidado con la grapadora y las tijeras. También es posible que te interese grabar la historia para escribirla más tarde.

MUÑECO DE PAPEL

A tu hijo le encantará tener un muñeco de papel que se parezca a él, y puede que también quiera jugar con los muñecos de otros miembros de la familia.

Materiales:
- Un paquete de muñecos de papel
- Una fotografía de tu hijo
- Fotografías de otros miembros de la familia (opcional)
- Pegamento
- Unas tijeras

Aprendizaje:	
	• Conocimiento del cuerpo • Creatividad e imaginación • Desarrollo del lenguaje y el vocabulario • Identidad/autoestima • Habilidades sociales

Instrucciones:
1. Compra un paquete de muñecos de papel apropiados para la edad de tu hijo.
2. Recorta la parte de la cabeza de la fotografía de tu hijo.
3. Pega esa parte sobre la cabeza del muñeco.
4. Haz también muñecos de otros miembros de la familia si el niño quiere.
5. Deja que disfrute jugando con los muñecos de papel.

Variación: Dile a tu hijo que haga una función de marionetas con los muñecos de papel para contar una historia sobre la vida familiar.

Seguridad: Ten cuidado con las tijeras y el pegamento si el niño anda cerca.

De 3 a 3 ½ años

ECHA UN VISTAZO

Comprueba si tu hija es capaz de identificar el objeto secreto echando sólo un vistazo. Cuanto más vea, más fácil le resultará.

Materiales:

- Varios objetos grandes interesantes, como un animal de peluche, una prenda de vestir, un libro ilustrado, un coche de juguete, un muñeco o un puzzle
- Una bolsa grande de papel para guardar los objetos
- Una tela, una toalla o una manta pequeña

Aprendizaje:

- Capacidad de clasificación
- Capacidad mental/ cognitiva
- Imágenes mentales
- Resolución de problemas

Instrucciones:

1. Reúne varios objetos y mételos en una bolsa de papel.
2. Mete la mano en la bolsa con una tela y saca un objeto manteniéndolo tapado todo el tiempo.
3. Pon el objeto tapado con la tela entre tu hija y tú.
4. Muestra con cuidado una pequeña parte del objeto.
5. Dile a tu hija que adivine qué es.
6. Continúa mostrando cada vez más hasta que acierte.
7. Haz lo mismo con los demás objetos de la bolsa.

Variación: Para que el juego resulte más fácil, enseña a tu hija los objetos antes de meterlos en la bolsa. Para que resulte más difícil utiliza sólo fotografías.

Seguridad: Elige objetos que sean seguros para la niña.

De 3 a 3 ½ años

RITMO CON RIMA

Ayuda a tu hijo a seguir el ritmo y a aprender nuevas palabras al mismo tiempo. Este juego requiere un poco de coordinación, pero hace que resulte más divertido.

Aprendizaje:
- Ritmo y coordinación
- Expresión emocional
- Desarrollo del lenguaje y el vocabulario
- Capacidad auditiva
- Interacción social

Materiales:
- Música (opcional)

Instrucciones:
1. Piensa en una palabra fácil que rime por ejemplo con «oruga».
2. Empieza a dar palmadas despacio y anima a tu hijo a seguir el ritmo.
3. Di la palabra mientras sigues dando palmadas.
4. Dile a tu hijo que diga una palabra que rime sin dejar de dar palmadas.
5. Mantén el ritmo de las palmadas mientras piensa en más palabras que rimen. También podéis turnaros para decir palabras hasta que se os acaben las ideas.
6. Elige otra palabra para jugar de nuevo.

Variación: Pon música y di las rimas al ritmo de la música.

Seguridad: Cuidado con las palabrotas.

BAILE DE PAÑUELOS

Es asombroso lo que pueden hacer unos pañuelos para liberar la creatividad de un niño y mejorar su motricidad gruesa. Conecta la música y observa cómo vuelan los pañuelos.

Materiales:
- 2 pañuelos largos, que tengan al menos la altura de tu hija
- 2 palos
- Una zona de juego grande
- Un radiocasete con música

Aprendizaje:
• Coordinación • Creatividad e imaginación • Expresión emocional • Desarrollo de la motricidad gruesa • Relaciones espaciales

Instrucciones:
1. Ata un extremo de cada pañuelo al extremo de un palo.
2. Pon en marcha la música.
3. Dile a tu hija que sujete un palo con cada mano y empiece a ondear los pañuelos.
4. Mientras los ondee al ritmo de la música, anímala a mover su cuerpo para que los pañuelos se muevan aún más.
5. Dile que haga una coreografía sencilla para bailar con los pañuelos.

Variación: Coged un pañuelo cada una para bailar juntas. Intercambiad los pañuelos de vez en cuando para ver qué sucede.

Seguridad: Asegúrate de que no haya ningún obstáculo en la zona. No ates el pañuelo a tu hija; podría enredarse con él y caerse.

SALTA Y BRINCA

En este sencillo juego, si tu hijo no escucha con atención las instrucciones puede acabar botando cuando debería saltar o brincar.

Materiales:
- Una zona de juego grande

Aprendizaje:	• Conocimiento del cuerpo • Coordinación y reflejos • Desarrollo de la motricidad gruesa • Desarrollo del lenguaje y el vocabulario • Discriminación auditiva

Instrucciones:
1. Busca una zona grande sin obstáculos en la que tu hijo tenga espacio para moverse.
2. Dale una instrucción –bota, salta o brinca– para que se mueva de ese modo.
3. Dale otra instrucción para que cambie a esa actividad.
4. Sigue dándole instrucciones, cada vez más rápidas, hasta que empiece a reírse y se caiga al suelo.
5. Jugad de nuevo añadiendo más instrucciones, como bailar, saltar a la pata coja o dar vueltas.

Variación: Mientras deis un paseo por el barrio dile que ande de formas diferentes, por ejemplo rápido, despacio, hacia atrás, hacia los lados, con pasos de pulga, con pasos gigantes, saltando o botando. Anda tú de distintas maneras y dile a tu hijo que te imite.

Seguridad: Si el niño se confunde o se siente frustrado, dale las instrucciones más despacio o deja el juego.

VOZ GRABADA

A los niños les encanta escuchar su propia voz. Graba la de tu hija varias veces y pónsela para que perciba de cuántas maneras distintas puede sonar.

Materiales:
- Un magnetófono
- Un micrófono
- Una cinta virgen

- Capacidad mental/cognitiva
- Creatividad e imaginación
- Desarrollo del lenguaje y el vocabulario
- Capacidad auditiva

Instrucciones:
1. Pon una cinta virgen en el magnetófono.
2. Elige un tema interesante para que tu hija hable de él, por ejemplo «¿Qué has hecho hoy en la escuela?», «¿Qué quieres para tu cumpleaños?» o «¿Qué ha pasado en tu programa de televisión favorito?».
3. Pon en marcha la cinta, acércale el micrófono a la boca y deja que hable de ese tema.
4. Vuelve a poner la cinta para escuchar juntas su voz.
5. Escoge otro tema y dile que hable de nuevo, pero esta vez de un modo diferente, por ejemplo en voz muy alta o muy baja o como un personaje de dibujos animados.
6. Dile que cambie la voz para cada tema y luego escuchad toda la cinta.

Variación: Graba a los miembros de la familia y a los amigos para ver si tu hija puede adivinar quién está hablando.

Seguridad: Si enchufas el magnetófono, dile a la niña que no toque el cable. Asegúrate de que tenga cuidado con los botones.

De 3 a 3 ½ años

TIPI TAPA

Dile a tu hijo que ande, hable y dé golpecitos con los dedos para pasar un rato muy divertido.

Aprendizaje:	• Conocimiento del cuerpo • Coordinación • Desarrollo de la motricidad fina • Discriminación auditiva • Capacidad para contar

Materiales:

- 10 tapones de bolígrafo o dedales pequeños
- Una superficie dura

Instrucciones:

1. Ponle a tu hijo los dedales o los tapones en los dedos. Quizá tengas que cubrirle antes las puntas con tiritas para que le encajen bien.
2. Dile que dé golpecitos en una superficie dura, por ejemplo en una mesa.
3. Pon música y dile que siga el ritmo de la melodía tamborileando con los dedos.
4. Dile que dé golpecitos en varios objetos de la habitación y escuche los distintos sonidos que puede hacer.

Variación: Ponte tú también los dedales y tamborilea una melodía en diferentes partes de tu cuerpo. Dile a tu hijo que cierre los ojos y adivine en qué parte del cuerpo estás dándote golpecitos sólo por el sonido.

Seguridad: No uses tapones puntiagudos, y asegúrate de que el niño no se los meta en la boca. No le permitas dar golpes en superficies de cristal o en objetos que se puedan romper con facilidad.

ZAPATEADO

A los niños también les gusta escuchar el sonido de sus pasos. Con este divertido juego tu hija comprobará cómo suenan sus pies.

Materiales:
- Un par de zapatos viejos, preferiblemente del número de tu hija
- 8 arandelas de metal planas
- Una cola fuerte
- Una superficie dura

Aprendizaje:	• Conocimiento del cuerpo • Coordinación • Expresión emocional • Desarrollo de la motricidad gruesa • Relaciones espaciales

Instrucciones:
1. Busca un par de zapatos de tu hija que estés a punto de tirar o compra un par nuevo en una tienda barata.
2. Pega cuatro arandelas de metal en la suela de cada zapato, dos en la punta y dos en el talón. Deja que se seque la cola.
3. Ponle a tu hija los zapatos y deja que ande sobre una superficie dura.
4. Pon música y dile que zapatee al ritmo de la melodía.

Variación: Compra unos zapatos de zapatear usados para que sepa cómo se zapatea con ellos.

Seguridad: Asegúrate de que no ande en superficies que resbalen y dile que tenga mucho cuidado si los zapatos no le quedan muy bien. Utiliza con cuidado la cola.

De 3 a 3 ½ años

IDENTIFICACIÓN TÁCTIL

Ayuda a tu hijo a usar el sentido del tacto para explorar su entorno. Anímale a crear imágenes mentales de las cosas que toque.

Materiales:

- Varios objetos con texturas diferentes que quepan en la palma de la mano, por ejemplo un animal de peluche, una esponja, una taza, una galleta y una pelota
- Una bolsa de papel
- Una venda (opcional)

Aprendizaje:	
	• Capacidad de clasificación • Desarrollo de la motricidad fina • Habilidad manual • Imágenes mentales • Resolución de problemas

Instrucciones:

1. Reúne varios objetos de distinta forma o textura y mételos en una bolsa de papel.
2. Siéntate en el suelo enfrente de tu hijo.
3. Ponle una venda o dile que cierre los ojos.
4. Saca un objeto de la bolsa y pónselo en las manos.
5. Dile que lo toque con cuidado y adivine qué es.
6. Dale pistas si tiene problemas para identificarlo.

Variación: Para que el juego resulte más fácil, enseña a tu hijo los objetos antes de meterlos en la bolsa.

Seguridad: Si a tu hijo no le gustan las vendas, dile que cierre los ojos y no mire. Asegúrate de que los objetos sean seguros para él.

¿QUÉ VA A PASAR?

Ayuda a tu hija a anticipar y resolver problemas antes de que lleguen los problemas reales. Anímala a buscar soluciones de una forma divertida.

Materiales:
- Un libro ilustrado con una buena historia

Aprendizaje:	• Capacidad mental/cognitiva • Creatividad e imaginación • Desarrollo del lenguaje y el vocabulario • Resolución de problemas • Secuencias

Instrucciones:
1. Elige un libro en el que pasen cosas que tu hija pueda anticipar.
2. Siéntate con ella en una silla cómoda y comienza a leer la historia.
3. A medida que leas, pregúntale qué cree que va a pasar y deja que lo adivine antes de pasar la página.
4. Pasa la página y lee la siguiente parte de la historia para ver si ha acertado.
5. Continúa hasta llegar al final del libro.

Variación: En vez de usar libros busca fotografías de revistas para que la niña invente historias adaptadas a las escenas. Comienza preguntándole: «¿Qué ha pasado?».

Seguridad: Elige libros que no provoquen a tu hija ansiedad por lo que vaya a ocurrir, como una historia sobre la muerte.

De 3 a 3 ½ años

¿QUÉ FALTA?

Tu hijo se lo pasará en grande intentando descubrir qué falta, sobre todo si eliges objetos interesantes.

Materiales:

- Un grupo de 4 a 6 objetos, por ejemplo un juguete, unas galletas, un libro y una prenda de vestir
- El suelo o una mesa
- Una manta o una toalla

Aprendizaje:	
	• Capacidad de clasificación • Capacidad mental/cognitiva • Desarrollo del lenguaje y el vocabulario • Resolución de problemas • Interacción social

Instrucciones:

1. Pon los objetos en el suelo o en una mesa delante de tu hijo.
2. Después de que los examine, identifícalos uno a uno en voz alta.
3. Tapa los objetos con una manta o una toalla.
4. Revisa los nombres de los objetos.
5. Quita un objeto sin dejar que el niño lo vea.
6. Levanta la manta y nombra los objetos que estén aún allí.
7. Pregunta a tu hijo: «¿Qué falta?».
8. Repite los pasos 4 al 7 con otro objeto.
9. Reúne un nuevo lote de objetos para jugar de nuevo.

Variación: Para que el juego resulte más difícil puedes utilizar más objetos, elegir cosas relacionadas o saltarte el paso de la revisión. Para que resulte más fácil reduce el número de objetos o revísalos varias veces.

Seguridad: Asegúrate de que los objetos sean seguros para tu hijo.

De 3 a 3 ½ años

¿DE QUIÉN ES ESTA ROPA?

Tu hija está aprendiendo aún a distinguir entre niños, niñas, hombres y mujeres, y este juego le ayudará.

Materiales:
- Revistas en las que haya fotografías de gente
- Unas tijeras
- El suelo o una mesa

Aprendizaje:	
	• Conocimiento del cuerpo • Capacidad mental y de clasificación • Creatividad e imaginación • Desarrollo de la motricidad fina • Autoconocimiento /autoestima

Instrucciones:
1. Recorta fotos de revistas de hombres, mujeres, niños y niñas.
2. Luego recorta fotografías de ropa para los hombres, las mujeres, los niños y las niñas.
3. Coloca las fotos de la gente en el suelo o en una mesa delante de tu hija.
4. Pon al lado las fotos de la ropa.
5. Coge la primera foto de ropa y dásela a tu hija.
6. Dile que se la ponga a un hombre, una mujer, un niño o una niña.
7. Continúa hasta que todas las ropas estén emparejadas con la gente.

Variación: Dile a tu hija que te ayude a hacer la colada y a separar las prendas de cada miembro de la familia.

Seguridad: Ten cuidado con las tijeras si la niña anda cerca.

DE TRES AÑOS Y MEDIO A CUATRO AÑOS

La capacidad cognitiva de tu hijo se está desarrollando de un modo espectacular. Ahora piensa de una forma más concreta que durante los primeros años del «aquí y ahora». El psicólogo Jean Piaget denominó esta etapa de crecimiento intelectual «pensamiento preoperacional». He aquí algunos ejemplos del desarrollo cognitivo de tu hijo:

- Ahora es capaz de utilizar símbolos, sobre todo lingüísticos, para expresar ideas y sentimientos. Esto supone un gran avance desde la etapa básicamente gestual de la primera infancia. El rápido desarrollo del lenguaje y el vocabulario le permiten comunicar ideas más complejas, lo cual le ayuda a controlar mejor su mundo y a sí mismo. Como padre o cuidador, debes darle muchas oportunidades para usar su capacidad verbal y ampliar su vocabulario.
- Tu hijo es *egocéntrico*, lo cual no significa que sea egoísta. Piaget utilizó este término para explicar que los niños aprenden a ver las cosas desde su perspectiva, que es distinta a la de sus padres. A veces, tu hijo tendrá dificultades para ver las cosas desde la perspectiva de otras personas, así que ayúdale a ver otros puntos de vista cuando juegues con él.
- Tu hijo está aprendiendo a tomar sus propias decisiones a medida que desarrolla su independencia. Aunque en algunos casos sus decisiones choquen con las tuyas, debes animarle a pensar por sí mismo dándole opciones y permitiendo que elija.

TODO SOBRE MÍ

Ayuda a tu hijo a crear un libro muy especial en el que él sea el protagonista.

Materiales:
- Hojas de papel blanco
- Revistas con ilustraciones
- Fotografías de tu hijo y otros miembros de la familia
- Dibujos de tu hijo
- Unas tijeras
- Pegamento
- Un bolígrafo
- Una grapadora

Aprendizaje:	• Capacidad mental/cognitiva • Expresión emocional • Desarrollo de la motricidad fina • Autoconocimiento/ autoestima

Instrucciones:
1. Reúne imágenes visuales que sean importantes para tu hijo, entre ellas sus dibujos, ilustraciones de su revista favorita y fotografías familiares.
2. Pega cada imagen en una hoja de papel.
3. Dile que describa el significado de cada imagen y escribe esa información en la parte inferior de la página.
4. Grapa todas las páginas y pon en la primera el título: «Todo sobre mí».
5. Lee el libro con él cuando esté terminado.

Variación: Tu hijo puede añadir páginas al libro cuando quiera. Quizá le interese también organizarlo por capítulos.

Seguridad: Haz copias de las fotos familiares que no quieras que se estropeen. Ten cuidado con las tijeras si el niño anda cerca.

De 3 ½ a 4 años

ANIMALES FANTÁSTICOS

Dile a tu hija que cree sus propias especies de animales para ver qué criaturas es capaz de inventar.

Materiales:
- Ilustraciones de animales de revistas o cuentos baratos
- Unas tijeras
- Papel
- Cola o cinta adhesiva
- Una mesa

Aprendizaje:	
	• Capacidad de clasificación • Capacidad mental/cognitiva • Creatividad e imaginación • Desarrollo de la motricidad fina

Instrucciones:
1. Recorta ilustraciones de varios animales.
2. Corta las ilustraciones en partes para separar la cabeza, el torso, las patas y la cola.
3. Dile a tu hija que mezcle las piezas sobre una mesa.
4. Luego dile que elija varias partes del cuerpo para crear nuevos animales.
5. Ayúdale a pegar las partes del cuerpo en el orden que quiera en una hoja de papel.
6. Continúa hasta que haya utilizado todas las piezas.
7. Ayuda a tu hija a poner nombre a los animales que haya creado.

Variación: Dile que dibuje animales nuevos usando sólo su imaginación.

Seguridad: Ten cuidado con la cola y las tijeras si la niña anda cerca.

De 3 ½ a 4 años

BAÑO DE POMPAS DE JABÓN

Ayuda a tu hijo a aprender las propiedades del agua mientras se divierte en la bañera.

Aprendizaje:
- Causa y efecto
- Coordinación óculo-manual
- Desarrollo de las motricidades fina y gruesa
- Propiedades científicas

Materiales:
- Una bañera
- Un bote de pompas de jabón

Instrucciones:
1. Llena la bañera con agua caliente y mete en ella a tu hijo.
2. Abre un bote de pompas de jabón y haz unas cuantas pompas sobre la bañera. Anima a tu hijo a explotarlas antes de que caigan en el agua.
3. Echa el resto del bote en la bañera y dale al niño una pajita para ver si puede hacer pompas soplando en el agua del baño.

Variación: Haz pompas de jabón fuera para que intente cogerlas.

Seguridad: La bañera quedará resbaladiza con el jabón, así que ten cuidado al sacar a tu hijo. Asegúrate de que no trague el agua de las pompas al soplar.

De 3 ½ a 4 años

CUBITOS DE COLORES

Tu hija puede aprender nuevas capacidades importantes en cualquier parte, incluso en el baño.

Materiales:
- Una bañera llena de agua caliente
- Colorante alimentario
- Una bandeja de cubitos de hielo

Aprendizaje:	
	• Capacidad mental/cognitiva • Desarrollo de la motricidad fina • Resolución de problemas • Propiedades científicas • Exploración sensorial

Instrucciones:
1. Prepara cubitos de colores añadiendo colorante alimentario al agua de una bandeja de cubitos de hielo. Mantenlos en el congelador hasta la hora del baño.
2. Llena la bañera de agua caliente.
3. Mete a tu hija en la bañera.
4. Echa los cubitos de colores en el agua uno a uno y anima a tu hija a cogerlos. Tendrá que darse prisa, porque empezarán a derretirse en el agua caliente.
5. Sigue echando cubitos hasta que se acaben.
6. Si es necesario, añade agua caliente de vez en cuando para mantener la temperatura.

Variación: Pon un juguete pequeño sobre un cubito de hielo para ver cuánto tarda en hundirse. Congela un juguete pequeño dentro de un cubito para dar una sorpresa a la niña.

Seguridad: No pierdas de vista a tu hija mientras esté en la bañera, y mantén el agua caliente.

De 3 ½ a 4 años

HISTORIA CON CAMBIOS

A los niños les gusta anticipar lo que va a pasar en una historia. Cambia una historia que tu hijo conozca para ver si te pilla.

Materiales:
- Un libro ilustrado con una historia interesante
- Una silla cómoda

Aprendizaje:	• Anticipación/sorpresa • Capacidad mental/cognitiva • Creatividad e imaginación • Imágenes mentales • Resolución de problemas

Instrucciones:
1. Busca un libro con una historia emocionante.
2. Siéntate con tu hijo en una silla cómoda y empieza a leer.
3. Mientras lees, cambia algunas palabras para que el texto no coincida con las ilustraciones. Por ejemplo, si un personaje se pone un sombrero rojo di que es amarillo.
4. Haz una pausa después del cambio y espera a que tu hijo reaccione. Debería darse cuenta de que has dicho algo que no está en el libro.
5. Si no dice nada pregúntale si lo que has leído es correcto.
6. Dale tiempo para que lo piense y acabe dándose cuenta de lo que has cambiado.
7. Dile que lo corrija si es posible.
8. Pasa la página y cambia otra cosa en la historia.
9. Continúa hasta que termines el libro.

Variación: Dile a tu hijo que te cuente la historia cambiando las palabras que quiera para ver si tú pillas sus cambios.

Seguridad: Elige un libro que no dé miedo.

De 3 ½ a 4 años

PASEO DE COLORES

Para ayudar a tu hija a aprender los colores, da con ella un paseo de colores para que vea cuántos hay por todas partes.

Materiales:

- Un parque, un jardín o una habitación llena de colores

Aprendizaje:
• Capacidad de clasificación • Capacidad mental/cognitiva • Colores • Desarrollo de la motricidad gruesa • Habilidades sociales

Instrucciones:

1. Invita a tu hija a dar un paseo contigo.
2. Mientras pasees con ella dile que elija un color.
3. Luego dile que busque muchas cosas de ese color.
4. Cuando encuentre diez cosas, dile que elija otro color para jugar de nuevo.

Variación: Para que el juego resulte más emocionante, cada una puede elegir un color diferente antes de empezar a pasear. La primera que encuentre diez cosas del color que haya elegido puede escoger los dos colores siguientes.

Seguridad: Tened cuidado al andar para no tropezar mientras buscáis todos esos colores.

¿QUÉ HACE?

Con este juego se potencia el desarrollo físico y cognitivo al mismo tiempo.

Materiales:
- Una serie de objetos que hagan algo, por ejemplo una cuerda, una pelota, una manta, un bloque, una cuchara, un sombrero y una toalla
- Una zona de suelo despejada

Aprendizaje:	
	• Conocimiento del cuerpo • Capacidad mental/ cognitiva • Desarrollo de las motricidades fina y gruesa • Interacción social • Relaciones espaciales

Instrucciones:
1. Reúne varios objetos que hagan algo.
2. Ponlos en el suelo entre tu hijo y tú.
3. Elige un objeto (por ejemplo una pelota) y pregunta a tu hijo: «¿Qué hace una pelota?».
4. Cuando te responda, anímale a demostrarte qué hace.
5. Dile que piense en más de una cosa que se pueda hacer con ese objeto. Por ejemplo, una pelota se bota, se coge, se lanza, se aplasta, se rueda, se lleva o se le da una patada.
6. Haz lo mismo con otro objeto.

Variación: Deja que el niño elija unos cuantos objetos para que tú expliques qué hacen. No olvides demostrárselo.

Seguridad: Asegúrate de que todos los objetos sean seguros para tu hijo.

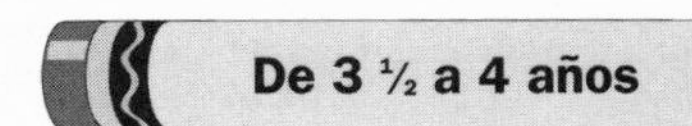
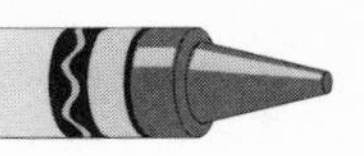

De 3 ½ a 4 años

DOBLE CONVERSACIÓN

Con esta doble conversación tu hija desarrollará su capacidad verbal a la vez que se divierte.

Materiales:
- Temas de los que pueda hablar tu hija, por ejemplo qué ha hecho en la escuela, su libro o su programa de televisión favorito o un nuevo juguete

Aprendizaje:	
	• Capacidad mental/cognitiva • Desarrollo del lenguaje y el vocabulario • Autoconocimiento • Interacción social

Instrucciones:
1. Elige un tema para hablar con tu hija.
2. Dile que empiece a contarte una historia frase a frase.
3. Pídele que se detenga después de cada frase para que puedas repetir sus palabras.
4. Continuad hasta que termine la historia.
5. Cuenta tú la historia para que ella repita lo que digas.

Variación: Dile que diga un par de frases y espere a que tú las repitas. Luego intercambiad los papeles. Aumenta el número de frases a medida que aprenda a jugar. Añade más palabras para que el juego resulte más estimulante.

Seguridad: Si no le gusta la parte de repetir explícale qué estás haciendo y dale otra oportunidad, o deja el juego y vuelve a intentarlo unos días más tarde.

De 3 ½ a 4 años

CAZA CON LINTERNA

Con este divertido juego que se juega en la oscuridad, tu hijo aprenderá a orientarse en el espacio.

Materiales:
- 2 linternas
- Una habitación oscura

Aprendizaje:	
	• Conocimiento del cuerpo • Capacidad mental/ cognitiva • Desarrollo de la motricidad gruesa • Habilidades sociales • Relaciones espaciales

Instrucciones:
1. Dale a tu hijo una linterna y coge tú otra.
2. Entra con él en una habitación y apaga las luces.
3. Dile que encienda su linterna e intente pillarte con la luz mientras te mueves por la habitación.
4. Cuando te pille, te tocará a ti intentar pillarle con tu linterna.

Variación: Esconde un objeto en la habitación para ver si el niño puede encontrarlo con su linterna. Dale pistas si es necesario.

Seguridad: Ten cuidado para que tu hijo no coja miedo a la oscuridad, y despeja la zona de obstáculos.

De 3 ½ a 4 años

SIGUE LA CUERDA

Dile a tu hija que siga una cuerda que le conducirá a sitios fascinantes.

Materiales:

- Un trozo largo de cuerda o cordel

Aprendizaje:	• Equilibrio y coordinación • Conocimiento del cuerpo • Capacidad mental/cognitiva • Desarrollo de la motricidad gruesa • Relaciones espaciales

Instrucciones:

1. Busca un trozo largo de cuerda o cordel.
2. Pon la cuerda en el suelo de un lado a otro de una habitación o del jardín.
3. Tuerce y dobla la cuerda para que pase por encima, por debajo o alrededor de varios obstáculos.
4. Dile a tu hija que pise la cuerda y la siga hasta el final del camino.
5. Explícale que si se cae tendrá que comenzar de nuevo.

Variación: Cuando llegue al final de la cuerda, dile que vuelva al punto de partida andando hacia atrás.

Seguridad: Asegúrate de que la cuerda no pase por ningún obstáculo que pueda hacer que la niña se caiga y se haga daño.

De 3 ½ a 4 años

SOMBREROS

Es sorprendente cómo cambia la personalidad con un simple sombrero. Observa qué le ocurre a tu hijo al ponerle un sombrero en la cabeza.

Materiales:

- Varios sombreros baratos o de disfraces, por ejemplo una gorra de béisbol, un sombrero con plumas, un pañuelo, un sombrero vaquero, un gorro de chef, un sombrero de payaso, un casco de bombero, una chistera o un gorro de Mickey Mouse
- Un espejo

Aprendizaje:	
	• Creatividad e imaginación • Simulación • Expresión emocional • Identidad/ autoconocimiento • Interacción social

Instrucciones:

1. Reúne unos cuantos sombreros.
2. Ponte con tu hijo delante de un espejo para que pueda verse.
3. Colócale el primer sombrero en la cabeza.
4. Deja que se contemple en el espejo.
5. Luego dile que actúe como las personas que llevan ese tipo de sombrero.
6. Elige tú también un sombrero y actúa como ese personaje.
7. Representad juntos una función con los sombreros puestos.
8. Cambiad de sombreros para interpretar a otros personajes.

Variación: Añade otros disfraces a los sombreros y combínalos de formas divertidas.

Seguridad: Asegúrate de que la ropa y los accesorios sean seguros y no tengan alfileres ni bordes cortantes.

¡PUEDO HACERLO!

Ayuda a tu hija a descubrir todo lo que es capaz de hacer para potenciar su confianza y su autoestima.

Aprendizaje:	• Capacidad mental/ cognitiva • Desarrollo del lenguaje y el vocabulario • Confianza/Autoestima • Habilidades sociales

Materiales:
- Revistas o libros con ilustraciones en las que haya niños haciendo cosas

Instrucciones:
1. Mira con tu hija revistas o libros en los que haya niños haciendo cosas.
2. Pregúntale si puede hacer las cosas de las ilustraciones.
3. Dile que te explique cómo se hacen esas cosas.
4. Deja que te lo demuestre si quiere.
5. Si dice que no puede hacer algo pregúntale por qué.
6. Habla con ella de las cosas que es capaz de hacer y pídele que te explique cómo se hacen.

Variación: Dile que intente hacer algo que crea que puede hacer pero no haya hecho nunca, como servirse la leche, atarse los zapatos, lavarse los dientes o vestirse. Ayúdale si es necesario.

Seguridad: Elige bastantes actividades que tu hija sepa hacer para que no se sienta frustrada. No la fuerces a hacer cosas para las que no esté preparada.

LIBRO ILUSTRADO

Anima a tu hijo a hacer dibujos para ilustrar una historia.

Materiales:
- Hojas de papel
- Rotuladores o pinturas
- Una grapadora
- Una mesa

Aprendizaje:	• Capacidad mental/cognitiva • Creatividad e imaginación • Expresión emocional • Desarrollo del lenguaje y el vocabulario • Interacción social

Instrucciones:
1. Pon sobre una mesa el papel y varios rotuladores o pinturas.
2. Cuéntale a tu hijo la primera parte de una historia inventada.
3. Cuando llegues a un punto en el que puedas detenerte, dile que haga un dibujo sobre lo que está pasando.
4. Cuando acabe con ese dibujo, continúa con la historia y dile que siga ilustrándola.
5. Cuando tú termines de leer y él de dibujar grapa las ilustraciones.
6. Revisa los dibujos y escribe las distintas partes de la historia debajo de las ilustraciones correspondientes.

Variación: Elige un libro ilustrado y lee la historia a tu hijo. Mientras lees, dile que haga dibujos para ilustrar lo que está ocurriendo. Cuando termines la historia grapa sus ilustraciones. Luego lee el libro con él y compara sus ilustraciones con las del libro.

Seguridad: Ten cuidado con la grapadora si el niño anda cerca.

De 3 ½ a 4 años

MOMIA

Envuelve a tu hija con papel higiénico y observa cómo se transforma en un monstruo terrorífico.

Materiales:
- Un rollo de papel higiénico (preferiblemente de color) o papel crepé
- Un espejo de cuerpo entero

Aprendizaje:
- Creatividad e imaginación
- Simulación
- Expresión emocional
- Desarrollo de la motricidad gruesa
- Identidad/ autoconocimiento
- Interacción social

Instrucciones:
1. Compra un rollo de papel higiénico de color pastel o con dibujos, o usa papel crepé si quieres.
2. Dile a tu hija que se ponga derecha.
3. Envuelve todo su cuerpo con el papel sin cubrirle los ojos, la nariz y la boca. Enrolla los brazos y las piernas por separado.
4. Si el papel se rompe, mete el extremo suelto y sigue envolviendo.
5. Cuando termines, dile a tu hija que se ponga delante del espejo para que se vea. No olvides sacarle una foto.
6. Dile que ande como una momia, moviendo los brazos y las piernas despacio y sin doblarlas.

Variación: Deja que ella te envuelva a ti con papel higiénico.

Seguridad: Asegúrate de que no le tapas los ojos, la nariz y la boca para que no se asuste y pueda respirar sin problemas.

De 3 ½ a 4 años

MEGÁFONO

A veces, lo único que hace falta para que un niño se exprese es algo para hablar, como este divertido megáfono.

Materiales:

- Un tubo de papel de cocina
- Pegatinas, papel adhesivo con dibujos o rotuladores

Aprendizaje:	
	• Capacidad mental/ cognitiva • Creatividad e imaginación • Simulación • Expresión emocional • Desarrollo del lenguaje y el vocabulario

Instrucciones:

1. Busca un tubo de papel de cocina vacío.
2. Decora el tubo con pegatinas, papel adhesivo o rotuladores.
3. Enseña a tu hijo a hablar a través del megáfono.
4. Dile que te cuente historias usando el megáfono.

Variación: Haz dos megáfonos para mantener una conversación con tu hijo.

Seguridad: Dile al niño que no corra con el megáfono en la boca para que no se tropiece y se caiga.

De 3 ½ a 4 años

MI HABITACIÓN

Ayuda a tu hija a descubrir qué hay de especial en su habitación –y en ella misma– para que desarrolle su sentido de la identidad.

Materiales:
- Una hoja grande de papel
- Rotuladores
- Una mesa

Aprendizaje:	• Capacidad mental/ cognitiva • Memoria/imágenes mentales • Identidad/autoestima • Relaciones espaciales

Instrucciones:
1. Pon una hoja grande de papel sobre una mesa.
2. Haz un plano de la habitación de tu hija en el papel y dile dónde están la puerta, la ventana, el armario y la cama.
3. Pregúntale qué más hay en su habitación.
4. Dibuja y escribe el nombre de las cosas que te vaya diciendo.
5. Si se le olvida algo, dale pistas para ayudarle a recordarlo.
6. Cuando termines, vete con ella a su habitación para que vea cuántas cosas recordaba.

Variación: Dile a tu hija que dibuje su habitación sin tu ayuda. Anímale a hablar de las cosas que hay en su habitación y pregúntale por qué son importantes para ella.

Seguridad: Utiliza rotuladores no tóxicos.

De 3 ½ a 4 años

DIBUJOS CON PUDÍN

¿Pensabas que el pudín era sólo para comer? Verás cómo se divierte tu hijo jugando con él.

Materiales:

- Una bata
- Un paquete de pudín o una tarrina de pudín listo para comer
- Colorante alimentario (opcional)
- Hojas grandes de papel satinado o una encimera limpia
- Una cuchara

Aprendizaje:	• Creatividad e imaginación • Expresión emocional • Desarrollo de la motricidad fina • Exploración sensorial

Instrucciones:

1. Ponle a tu hijo una bata para que no se manche la ropa.
2. Mezcla el pudín –o saca el pudín preparado de la tarrina– y ponlo en un cuenco.
3. Si usas pudín de vainilla, añade un poco de colorante alimentario para darle color.
4. Pon un papel satinado sobre una mesa o utiliza una encimera limpia.
5. Echa un poco de pudín en el papel o en la encimera.
6. Deja que el niño pinte con los dedos con el pudín.
7. Cuando termine puede comer lo que sobre.

Variación: Para que tenga una sensación diferente, puedes usar crema de afeitar o nata.

Seguridad: Si usas crema de afeitar, dile a tu hijo que no se la meta en la boca.

De 3 ½ a 4 años

MASAJE CON RODILLO

Con esta actividad, tu hija aprenderá a conocer mejor su cuerpo y desarrollará el sentido del tacto mientras disfruta de un agradable masaje.

Materiales:
- Un rodillo limpio
- Una toallita
- Cinta adhesiva
- Una manta
- Un suelo enmoquetado

Aprendizaje:	
	• Expresión emocional • Identidad/conocimiento del cuerpo • Estimulación sensorial • Interacción social

Instrucciones:
1. Cubre un rodillo con una toallita y asegura los extremos con cinta adhesiva.
2. Pon una manta sobre un suelo enmoquetado.
3. Dile a tu hija que se tumbe en la manta boca abajo y cierre los ojos.
4. Pásale el rodillo por el cuerpo con suavidad mientras cantas una canción. Masajéale todas las partes del cuerpo.
5. Cuando acabes con un lado dale la vuelta y continúa con el otro.

Variación: Cuando termines con los dos lados deja que la niña te pase el rodillo a ti.

Seguridad: Pasa el rodillo con suavidad para que el masaje no resulte desagradable. Dile a tu hija que tenga cuidado al utilizar el rodillo para que no te dé un golpe sin querer.

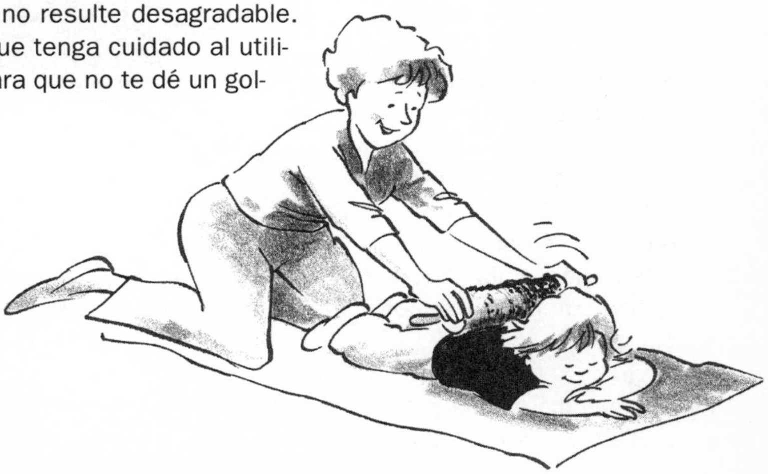

De 3 ½ a 4 años

IGUALES Y DIFERENTES

Con este juego comprobarás si tu hijo puede explicar en qué se parecen algunas cosas aunque sean diferentes.

Materiales:
- Fotografías de personas con un aspecto similar
- Fotos de animales, casas, comidas y otras cosas que sean parecidas pero diferentes
- El suelo o una mesa

Aprendizaje:
- Capacidad de clasificación
- Capacidad mental/ cognitiva
- Desarrollo del lenguaje y el vocabulario
- Autoconocimiento
- Interacción social

Instrucciones:
1. Elige varias fotografías de las categorías anteriores y, si es posible, incluye algunas de los miembros de tu familia.
2. Pon dos fotos de personas, casas o animales parecidos en el suelo o sobre una mesa delante de tu hijo.
3. Pregúntale en qué se parecen.
4. Pregúntale en qué se diferencian.
5. Dale pistas si es necesario.
6. Comenta sus respuestas.
7. Haz lo mismo con el resto de las fotografías.

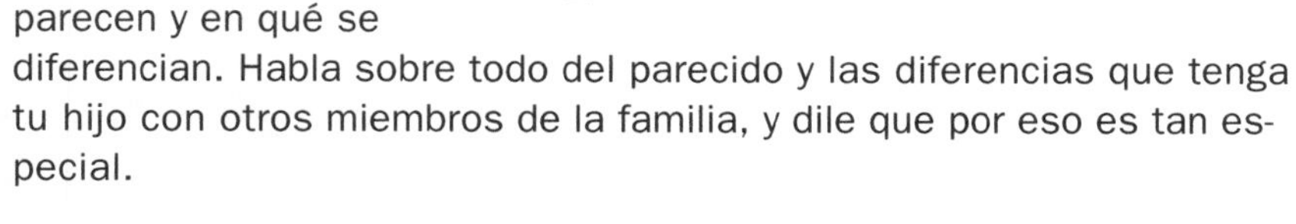

Variación: Extiende las fotos de los miembros de tu familia para comentar en qué se parecen y en qué se diferencian. Habla sobre todo del parecido y las diferencias que tenga tu hijo con otros miembros de la familia, y dile que por eso es tan especial.

Seguridad: Ten cuidado al comparar a los hermanos para que tu hijo no se sienta inferior o celoso.

De 3 ½ a 4 años

PIEDRAS PASADERAS

Seguir un camino de piedras pasaderas es muy divertido, aunque las piedras sean en realidad platos de papel.

Aprendizaje:
- Conocimiento del cuerpo
- Capacidad mental/ cognitiva
- Desarrollo de la motricidad gruesa
- Capacidad para contar
- Resolución de problemas
- Relaciones espaciales

Materiales:
- Platos de papel
- Un bolígrafo

Instrucciones:
1. Numera los platos de papel.
2. Pon los platos en orden numérico a lo largo de un camino en casa o en el jardín. Calcula la distancia de los pasos de tu hija para separarlos.
3. Haz que el camino dé vueltas y pase, por ejemplo, por encima de una silla, sobre un cojín o por debajo de una mesa.
4. Dile a la niña que siga los platos de papel en orden numérico a lo largo del camino.
5. Traza un nuevo camino con los platos para jugar otra vez.

Variación: Para que el juego resulte más difícil, separa los platos un poco más y dile a tu hija que los recoja mientras avanza por el camino.

Seguridad: Elige con cuidado la ruta para que la niña no se haga daño intentando coger un plato.

De 3 ½ a 4 años

CINTA ENROLLADA

Para pasar un buen rato con tu hijo, lo único que necesitas es un rollo de cinta adhesiva, con el que además aprenderá todo tipo de habilidades.

Aprendizaje:
• Conocimiento del cuerpo • Causa y efecto • Coordinación óculo-manual • Desarrollo de la motricidad fina • Resolución de problemas • Interacción social

Materiales:

- Un rollo de cinta adhesiva transparente o de color

Instrucciones:

1. Envuelve un trozo largo de cinta adhesiva alrededor de tu cuerpo pegando la cinta a la ropa (y a la piel si quieres).
2. Enseña a tu hijo lo que has hecho con la cinta.
3. Pídele que te ayude a quitar la cinta ofreciéndole un extremo.
4. Dile que tire de la cinta dando vueltas a tu alrededor.
5. Luego envuelve a tu hijo con la cinta evitando su piel.
6. Deja que el niño se quite la cinta del cuerpo.
7. Jugad de nuevo, esta vez dejando que él pegue la cinta a tu cuerpo y la quite después.

Variación: Pega la cinta por toda la casa y dile a tu hijo que la quite mientras sigue el camino.

Seguridad: Ten cuidado para no pegar la cinta a la piel de tu hijo.

HABLA COMO YO

Crea diferentes voces para varios personajes y dile a tu hija que intente imitarte.

Materiales:

- Fotografías de distintos personajes, por ejemplo de un hombre, una mujer, un bebé, un animal o un personaje de dibujos animados o de la televisión

Aprendizaje:

- Simulación
- Expresión emocional
- Desarrollo del lenguaje y el vocabulario
- Autoconocimiento
- Interacción social

Instrucciones:

1. Reúne fotografías de varios personajes.
2. Enseña la primera foto a tu hija.
3. Habla como ese personaje con una voz divertida.
4. Dile a tu hija que imite tu voz para hablar como el personaje.
5. Haz lo mismo con el resto de los personajes cambiando de voz para cada uno de ellos.

Variación: Dile a la niña que se invente las voces de los personajes.

Seguridad: No hables muy alto para no haceros daño en los oídos.

De 3 ½ a 4 años

LA HORA DEL TÉ

Prepara un té para tu hijo y disfruta con él de un rato muy especial.

Materiales:
- Té o zumo de frutas
- Una tetera y tazas de té
- Una mesa pequeña con dos sillas
- Un mantel, platos y cubiertos
- Pastas de té, galletas o sándwiches pequeños

Aprendizaje:	
	• Simulación • Desarrollo del lenguaje y el vocabulario • Estimulación sensorial • Interacción social

Instrucciones:
1. Pon la mesa con tu mejor vajilla y un bonito mantel.
2. Haz un té frío o caliente y échalo en la tetera.
3. Siéntate en la mesa con tu hijo, sirve el té con las pastas y charla con él.
4. Recoged las cosas juntos y planead otra merienda para la semana siguiente.

Variación: Prepara un desayuno o una comida especial.

Seguridad: Comprueba que el té no esté demasiado caliente. Si a tu hijo no le gusta el té, usa zumo u otra bebida.

TIC-TAC

Tu hija sólo tiene unos minutos para encontrar un reloj y, para ello, debe escuchar con atención. ¿Dónde estará?

Materiales:

- Un cronómetro o un reloj despertador cuyo sonido se oiga bien

Aprendizaje:	
	• Causa y efecto • Capacidad mental/ cognitiva • Capacidad de atención • Imágenes mentales • Resolución de problemas

Instrucciones:

1. Esconde un cronómetro o un reloj despertador en casa o en el jardín.
2. Dile a tu hija que entre en la zona de juego y escuche con atención.
3. Explícale que tiene tres minutos para encontrar el reloj antes de que suene la alarma. Tendrá que escuchar atentamente para seguir el sonido del reloj.
4. Dale pistas si es necesario.
5. Jugad de nuevo, esta vez dándole menos tiempo para encontrar el reloj.

Variación: Ayuda a tu hija a encontrar el reloj diciendo «frío» o «caliente» a medida que se acerque o se aleje del objetivo.

Seguridad: No escondas el reloj en un sitio inseguro, y premia a la niña por sus esfuerzos.

De 3 ½ a 4 años

NOMBRES DIVERTIDOS

Tu hijo se lo pasará en grande inventando nombres para objetos curiosos e imaginando para qué sirven. Cuanto más raros sean, mejor.

Materiales:

- Varios objetos curiosos que tu hijo no conozca, por ejemplo un prensador de ajos, una pinza para los pelos de la nariz, una concha, un cortapizzas, la boquilla de una manguera, un accesorio de una aspiradora y un rizador de pestañas
- Una bolsa de papel

Aprendizaje:	
	• Capacidad de clasificación • Capacidad mental/ cognitiva • Creatividad e imaginación • Desarrollo del lenguaje y el vocabulario • Interacción social

Instrucciones:

1. Mete los objetos en una bolsa de papel y ponla entre tu hijo y tú.
2. Pide al niño que elija un objeto.
3. Dile que invente un nombre divertido para ese objeto.
4. Luego dile que imagine qué hace el objeto y te lo describa.
5. Repetid los pasos anteriores con el siguiente objeto.
6. Seguid jugando hasta que tu hijo ponga nombre a todos los objetos y los describa.

Variación: En vez de decirle que explique para qué sirve un objeto, dile que escenifique su función mientras tú intentas averiguar qué quiere decir.

Seguridad: Asegúrate de que los objetos sean seguros para tu hijo.

DE CUATRO AÑOS A CUATRO AÑOS Y MEDIO

A los cuatro años, que son especialmente divertidos, tu hijo desarrollará la mayor parte de sus capacidades a través del juego. A esta edad jugar es para él como trabajar. El juego le permite usar la información de formas creativas, aliviar sus frustraciones y potenciar su desarrollo. He aquí algunos aspectos importantes del juego:

- Tu hijo está desarrollando importantes capacidades sociales en la interacción con otras personas, tanto reales como imaginarias. Ponle en contacto con amigos y familiares, y dale muñecos y animales de peluche para que pueda aprender a relacionarse de diferentes maneras compartiendo y haciendo simulaciones.
- A través del juego, tu hijo aprenderá conceptos que sentarán las bases para un aprendizaje más complejo. Cada vez que juega practica su capacidad para pensar, expresarse y resolver problemas. Potencia estas bases de aprendizaje proporcionándole retos estimulantes.
- La capacidad física de tu hijo se desarrollará cuando manipule juguetes, juegue con pelotas y bloques de construcción, tamice arena y chapotee en el agua. Asegúrate de que tenga muchas oportunidades para disfrutar.
- En el entorno seguro y controlado del juego, tu hijo aprenderá a dominar situaciones cotidianas. Proporciónale disfraces, utensilios de juguete, instrumental médico, lápices y papel, y objetos similares para ayudarle a expresar sus intereses, temores y experiencias.

De 4 a 4 ½ años

PASTEL DE COLORES

Cocina con tu hijo de vez en cuando para ayudarle a desarrollar muchas capacidades importantes.

Materiales:

- Un paquete ya preparado para elaborar un pastel blanco o amarillo
- Cuencos
- Cucharas para medir y mezclar
- Un molde redondo, cuadrado o con una forma original
- Colorante alimentario
- Fideos de colores
- Azúcar glas
- Tubos de glaseado y otros adornos comestibles (opcional)
- Un horno

- Causa y efecto
- Capacidad mental/cognitiva
- Desarrollo de la motricidad fina
- Capacidad para contar
- Propiedades científicas
- Interacción social

Instrucciones:

1. Compra un paquete ya preparado para elaborar un pastel blanco o amarillo.
2. Ayuda a tu hijo a medir, remover y mezclar siguiendo las instrucciones del paquete.
3. Dile que añada a la masa su colorante favorito.
4. Deja que extienda el color para hacer un dibujo o que lo mezcle con la masa.
5. Añade los fideos de colores.
6. Echa la masa en un molde.
7. Hornea el pastel siguiendo las instrucciones del paquete.
8. Cuando se enfríe ayuda a tu hijo a espolvorear el azúcar glas.
9. Si quieres añade detalles con tubos de glaseado y otros adornos comestibles.
10. Sirve el pastel y cómelo con tu hijo.

Variación: Haz galletas, bollitos y otras cosas divertidas para comer.

Seguridad: Vigila a tu hijo cuando uses el horno y otros utensilios de cocina calientes.

CASA DE CARTÓN

Ayuda a tu hija a construir su primera casa con una caja de cartón grande, unos cuantos materiales decorativos y mucha imaginación.

Materiales:
- Una caja de un electrodoméstico grande
- Unas tijeras o un cúter
- Cinta adhesiva
- Rotuladores, pinturas, calcomanías, pegatinas, fieltro adhesivo y otros materiales decorativos

Aprendizaje:	• Capacidad mental/cognitiva • Creatividad e imaginación • Desarrollo de las motricidades fina y gruesa • Autoestima

Instrucciones:
1. Pide en una tienda de electrodomésticos una caja grande o utiliza una que hayas guardado después de comprar un frigorífico, una televisión o una lavadora nueva.
2. Haz una puerta en un lado de la caja cortando en horizontal la parte superior, en vertical hacia abajo y en la parte inferior la misma distancia que arriba. Dobla el lado que quede sin cortar para que la puerta se pueda abrir y cerrar.
3. Recorta varias ventanas con la misma técnica. Puedes cortar los cuatro lados para que las ventanas estén siempre abiertas o dejar un lado sin cortar para que tu hija las abra y las cierre.
4. Tapa los agujeros, cubre los bordes irregulares y refuerza la base con cinta adhesiva.
5. Ayuda a tu hija a decorar su casa con rotuladores, pegatinas, calcomanías y otros materiales decorativos.
6. Dile que amueble la casa con sillas y juguetes pequeños y otros enseres domésticos.
7. Deja que juegue con su casa.

Variación: Ayuda a tu hija a hacer una escuela, un hospital, un parque de bomberos o cualquier otro edificio. Puede hacer una ciudad entera.

Seguridad: Ten mucho cuidado con el cúter si la niña anda cerca. Utiliza rotuladores y pinturas no tóxicas.

LANZAMIENTOS

Con esta actividad tu hijo desarrollará la coordinación y otras capacidades importantes.

Aprendizaje:
• Capacidad mental/ cognitiva • Coordinación óculo-manual • Desarrollo de las motricidades fina y gruesa • Desarrollo del lenguaje y el vocabulario • Reflejos • Interacción social

Materiales:
- Una pelota de goma mediana
- Un espacio grande

Instrucciones:
1. Busca una pelota mediana que tu hijo pueda coger con facilidad.
2. Ponte a unos metros de él en un espacio grande, preferiblemente al aire libre.
3. Elige una categoría sencilla, por ejemplo juguetes o dulces.
4. Dile al niño que piense en ejemplos de esa categoría.
5. Comenzad a lanzaros la pelota de un lado a otro.
6. Cada vez que uno coja la pelota debe decir un ejemplo de la categoría elegida.
7. Si alguien deja caer la pelota, cambiad de categoría para jugar de nuevo.

Variación: Para que el juego resulte más fácil, sentaos en el suelo con las piernas separadas y rodad la pelota de un lado a otro diciendo un ejemplo de esa categoría cada vez que os llegue.

Seguridad: Jugad en una zona despejada para no romper nada. Lanzad la pelota con suavidad.

De 4 a 4 ½ años

PERSONAJES DE TIZA

Convierte a tu hija en una superheroína, una princesa o un monstruo grotesco con la ayuda de unas cuantas tizas.

Materiales:

- Tizas de colores
- Una acera o un camino
- Un día soleado

Aprendizaje:	
	• Capacidad mental/ cognitiva • Creatividad e imaginación • Simulación • Expresión emocional • Desarrollo de las motricidades fina y gruesa

Instrucciones:

1. Sal a la calle un día que haga sol con unas cuantas tizas.
2. Dile a tu hija que se ponga de pie en la acera mientras tú dibujas el contorno de su sombra.
3. Deja que añada detalles al contorno con tizas de distintos colores.
4. Anímala a crear un personaje fantástico, como una superheroína, una princesa o un monstruo.
5. Dile que haga todos los personajes de tiza que quiera.

Variación: Si no hace sol dile a tu hija que se tumbe en la acera para dibujar el contorno de su cuerpo con la tiza.

Seguridad: Asegúrate de que en la zona no haya cristales rotos ni otros objetos peligrosos.

DISFRACES

Observa cómo se transforma tu hijo en una persona diferente poniéndose unas cuantas prendas divertidas.

Materiales:
- Ropa para disfrazarse, por ejemplo vestidos y faldas; pantalones, camisas y cinturones; abrigos, chaquetas y chalecos; zapatos, sombreros y pelucas; guantes, joyas y pañuelos; telas con lentejuelas, plumas, pieles, cuero o seda
- Una caja grande

Aprendizaje:	
	• Capacidad mental/ cognitiva • Creatividad e imaginación • Simulación • Expresión emocional • Desarrollo de las motricidades fina y gruesa

Instrucciones:
1. Compra ropa barata para disfraces y métela en una caja grande.
2. Pon la caja en medio de la zona de juego y deja que tu hijo la abra.
3. Dile que examine la ropa y los accesorios y que componga un disfraz.
4. Cuando esté disfrazado, pregúntale quién es y qué va a hacer. Anímale a representar su nueva identidad.
5. Deja que esté con esa ropa durante un rato antes de elegir otro disfraz.

Variación: Dile a tu hijo que interprete una obra de teatro de un solo personaje con su disfraz; o que invite a un amigo para representar juntos una escena dramática.

Seguridad: Asegúrate de que la ropa no tenga alfileres u otros detalles peligrosos antes de meterla en la caja.

De 4 a 4 ½ años

TAMBORES

Lo único que tiene que hacer tu hija para tamborilear una canción es marcar el ritmo con un tambor.

Aprendizaje:	• Capacidad mental/cognitiva • Ritmo y coordinación • Expresión emocional • Desarrollo del lenguaje y el vocabulario • Interacción social

Materiales:

- 2 tambores u otros objetos similares

Instrucciones:

1. Busca dos tambores o dos recipientes de metal. También puedes utilizar una encimera u otra superficie.
2. Toca un ritmo en tu tambor.
3. Dile a tu hija que siga ese ritmo con su tambor.
4. Cuando haya cogido bien el ritmo añade unas palabras. Por ejemplo, mientras tamborileas puedes decir: «Me llamo María».
5. Sigue creando ritmos con el tambor, cambiando el ritmo y las palabras cuando quieras, para que tu hija te siga.
6. Establecer turnos para imitaros la una a la otra.

Variación: Mantened una conversación en la que una persona hable y la otra marque el ritmo de las palabras con el tambor. Haced turnos para hablar y tocar el tambor.

Seguridad: Dile a tu hija que no tamborilee con mucha fuerza para que no se haga daño en los dedos. Si se confunde toca más despacio.

De 4 a 4 ½ años

PLASTILINA COMESTIBLE

Con esta plastilina se puede jugar antes de decorarla y comerla.

Aprendizaje:	
	• Causa y efecto • Creatividad e imaginación • Expresión emocional • Desarrollo de la motricidad fina

Materiales:

- Masa de pan de jengibre envasada o casera
- Una mesa
- Fideos de colores y caramelos pequeños
- Moldes de galletas, un rodillo, un tenedor y un cuchillo de plástico y otros utensilios
- Una bandeja para galletas
- Un horno

Instrucciones:

1. Haz una masa de pan de jengibre con tu receta favorita. Si queda un poco diluida, añade harina hasta que tenga la consistencia de un trozo de plastilina. Si está muy seca añade agua.
2. Pon la masa sobre la mesa.
3. Dile a tu hijo que use varios utensilios para hacer con la masa figuras de animales, personajes o lo que quiera.
4. Deja que decore las figuras con fideos de colores y caramelos pequeños.
5. Cuando termine pon las figuras en una bandeja para galletas y hornéalas siguiendo las instrucciones del paquete o la receta.
6. Deja que se enfríen antes de comerlas.

Variación: Haz galletas de jengibre, decóralas y sírvelas a la hora de la merienda.

Seguridad: Ten cuidado con el horno, y comprueba que los utensilios para la masa sean seguros. Si la masa contiene huevos, asegúrate de que tu hijo no la coma.

De 4 a 4 ½ años

CARA DE PIE

Dile a tu hija que haga una marioneta con un calcetín llamada «Cara de pie».

Materiales:
- Un calcetín limpio
- Un trozo de cartón
- Unas tijeras
- Rotuladores lavables
- Lana, botones y otros detalles decorativos (opcional)
- Aguja e hilo (opcional)

Aprendizaje:	
	• Creatividad e imaginación • Expresión emocional • Desarrollo de la motricidad fina • Desarrollo del lenguaje y el vocabulario • Identidad/autoestima

Instrucciones:
1. Busca un calcetín limpio más o menos del tamaño de tu hija.
2. Recorta en el cartón un pie un poco más grande que el calcetín.
3. Mete el cartón en el calcetín.
4. Dile a tu hija que dibuje una cara divertida cerca de la punta del calcetín con rotuladores lavables. Ayúdala si es necesario.
5. Dibuja la parte inferior de la boca cerca del talón del calcetín.
6. Dibuja la lengua y los dientes en las zonas apropiadas.
7. Si quieres puedes coser lana para el pelo, botones para los ojos y otros detalles.
8. Saca el cartón y pon el calcetín en la mano de tu hija.
9. Deja que dé vida a «Cara de pie» abriendo y cerrando la mano mientras pone voz a la marioneta.

Variación: Haz dos marionetas con calcetines, una para cada mano, y dile a tu hija que represente una función.

Seguridad: No pierdas de vista a la niña cuando use los rotuladores lavables. Si coses detalles adicionales comprueba que sean seguros.

De 4 a 4 ½ años

BÚSQUEDA MAGNÉTICA

Esta versión de la búsqueda del tesoro está llena de sorpresas científicas. Deja que tu hijo descubra qué objetos se pegan al imán.

Materiales:
- Un imán para niños

Aprendizaje:	• Capacidad de clasificación • Capacidad mental/ cognitiva • Desarrollo de las motricidades fina y gruesa • Experimentación y propiedades científicas

Instrucciones:
1. Compra en una juguetería o en una tienda de materiales educativos un imán para niños. Elige uno que sea fuerte, pero fácil de controlar.
2. Demuestra a tu hijo cómo funciona el imán con unos cuantos objetos.
3. Dile que dé una vuelta por la casa para buscar cosas que puedan ser magnéticas.
4. Cuando haya probado varios objetos, pregúntale si un objeto se pegará o no al imán.
5. Dile que continúe con la búsqueda magnética supervisando cualquier prueba que quiera realizar.
6. Cuando termine, dile que hable de lo que tienen en común los objetos magnéticos.

Variación: Reúne varios objetos domésticos y ponlos sobre una mesa para que tu hijo adivine cuáles son magnéticos. Dile que los pruebe y los separe en dos montones.

Seguridad: Asegúrate de que los objetos que pruebe sean seguros.

BLOQUES CASEROS

Ayuda a tu hija a hacer sus propios bloques con cajas de leche. Cada vez que se vacíe una caja podrá aumentar su colección.

Materiales:
- Cajas de leche
- Unas tijeras
- Un bolígrafo o un lapicero
- Una regla
- Cinta adhesiva
- Papel adhesivo, pegatinas o pintura al óleo y pinceles

Aprendizaje:	
	• Causa y efecto • Creatividad e imaginación • Desarrollo de las motricidades fina y gruesa • Resolución de problemas

Instrucciones:
1. Recorta la parte superior de las cajas de leche.
2. Enjuaga y seca las cajas.
3. Mide la anchura de la primera caja en el borde inferior.
4. Mide y marca esa distancia desde las cuatro esquinas de abajo.
5. Corta hacia abajo desde las esquinas de arriba, deteniéndote en cada marca.
6. Dobla las solapas hacia dentro para formar un cubo y pégalo con cinta adhesiva.
7. Cubre el cubo con papel adhesivo y pegatinas, o píntalo con pintura al óleo.
8. Haz lo mismo con el resto de las cajas. Cuando los bloques estén listos, deja que tu hija se divierta apilándolos y derribándolos.

Variación: Dile que te ayude a hacer los bloques para potenciar su aprendizaje.

Seguridad: Ten cuidado con las tijeras y la pintura si la niña anda cerca.

De 4 a 4 ½ años

CAJA MISTERIOSA

A los niños les encantan los misterios. Crea una caja misteriosa escondiendo algo especial en ella.

Materiales:

- Varios objetos familiares para tu hijo, como uno de sus zapatos, un juguete, un muñeco, una taza especial o su cuento favorito
- Una bolsa de papel
- Una caja pequeña, por ejemplo de zapatos
- Cinta adhesiva

Aprendizaje:	
	• Capacidad de clasificación • Capacidad mental/ cognitiva • Imágenes mentales • Resolución de problemas • Interacción social

Instrucciones:

1. Reúne varios objetos familiares y mételos en una bolsa de papel sin que tu hijo los vea.
2. Dile que cierre los ojos, saca un objeto de la bolsa y ponlo en la caja.
3. Cierra la tapa, pega la caja con cinta adhesiva y dásela a tu hijo.
4. Dile que dentro hay algo misterioso.
5. Deja que mueva la caja, calcule cuánto pesa y piense en ello durante un rato.
6. Dale una pista de lo que hay dentro para que adivine de qué se trata.
7. Sigue dándole pistas hasta que acierte.
8. Abre la caja y muéstrale el objeto antes de jugar de nuevo.

Variación: Deja que el niño esconda un objeto en la caja para que tú adivines qué es.

Seguridad: Comprueba que todos los objetos sean seguros para tu hijo.

De 4 a 4 ½ años

HISTORIA CON FOTOGRAFÍAS

Mirar fotografías familiares para recordar momentos especiales es muy divertido. Comprueba si tu hija es capaz de poner las fotografías en orden cronológico.

Materiales:

- 3 o 4 fotos de una vacaciones familiares, una fiesta de cumpleaños u otro acontecimiento especial en la vida de tu hija
- Una mesa

Aprendizaje:	
	• Capacidad de clasificación • Capacidad mental/ cognitiva • Desarrollo de la motricidad fina • Ejercicio de prelectura • Secuencias/seriación • Interacción social

Instrucciones:

1. Mezcla las fotos y ponlas sobre una mesa.
2. Dile a tu hija que intente recordar qué paso primero y que elija la fotografía correspondiente.
3. Luego dile que coja la foto que represente lo que pasó después.
4. Continúa hasta que haya puesto todas las fotografías en orden cronológico.
5. Dile que te cuente la historia de principio a fin, haciéndole preguntas para ayudarle a recordar más detalles.

Variación: Saca varias fotos de diferentes acontecimientos y dile que las clasifique. Luego dile que ponga cada acontecimiento en orden cronológico.

Seguridad: Dile a tu hija que trate las fotografías con cuidado, o haz copias antes de jugar.

PUZZLE PERSONAL

Tu hijo se lo pasará en grande creando su propio puzzle. Elige una fotografía que sea especial para él.

Materiales:

- Una fotografía interesante de un miembro de la familia, un animal o un personaje de dibujos animados
- Una cartulina gruesa
- Spray adhesivo
- Un rotulador negro
- Unas tijeras
- Una caja pequeña
- Una mesa

- Clasificación y selección
- Capacidad mental/cognitiva
- Desarrollo de la motricidad fina
- Imágenes mentales
- Resolución de problemas

Instrucciones:

1. Busca una foto interesante.
2. Cubre la superficie de la cartulina con spray adhesivo.
3. Pega la fotografía en la cartulina y deja que se seque.
4. Traza unas líneas sencillas en la foto con un rotulador negro.
5. Recorta la foto por esas líneas para formar las piezas del puzzle.
6. Pon las piezas en una caja pequeña.
7. Siéntate a una mesa con tu hijo y dale la caja.
8. Dile que la abra, saque las piezas y componga el puzzle.
9. Si necesita ayuda, dale pistas para que pueda hacer el puzzle él solo.
10. Cuando la fotografía esté completa dile que hable de ella.

Variación: Deja que te ayude a hacer el puzzle desde el principio antes de componerlo.

Seguridad: Ten cuidado con el spray adhesivo y las tijeras, y asegúrate de que la habitación esté bien ventilada.

De 4 a 4 ½ años

CUADRO RASCADO

Tu hija se quedará asombrada al ver que su dibujo aparece por arte de magia en color en una superficie negra.

Materiales:

- Una cartulina o un papel rígido
- Unas tijeras
- Varias pinturas de colores
- Pintura negra y un pincel
- Un clip o una brocheta

Aprendizaje:

- Causa y efecto
- Creatividad e imaginación
- Expresión emocional
- Desarrollo de la motricidad fina

Instrucciones:

1. Corta en la cartulina un cuadro de 10 × 10 centímetros aproximadamente.
2. Dile a tu hija que pinte toda la superficie con pinturas de colores apretando con fuerza.
3. Luego dile que cubra la superficie con pintura negra. Deja que la pintura se seque bien.
4. Dale un clip abierto o una brocheta y dile que haga un dibujo rascando sobre la pintura negra.
5. Se quedará sorprendida al ver que el dibujo aparece por arte de magia en color.

Variación: Para crear un efecto diferente utiliza rotuladores que cambien de color. Dile a la niña que haga un dibujo con un rotulador y que lo repase con otro rotulador para que cambie el color.

Seguridad: Enseña a tu hija a usar los instrumentos afilados con cuidado.

De 4 a 4 ½ años

CAMBIO DE FORMA

A esta edad tu hijo es tan flexible que puede doblarse como quiera. Observa cuántas formas puede adoptar.

Materiales:
- Un trozo de cuerda que tenga la altura de tu hijo de los pies a la cabeza
- Unas tijeras
- Una zona de suelo despejada

Aprendizaje:	
	• Capacidad mental/ cognitiva • Desarrollo de la motricidad gruesa • Autoconocimiento • Relaciones espaciales

Instrucciones:
1. Mide el cuerpo de tu hijo completamente extendido y corta un trozo de cuerda de ese tamaño.
2. Despeja una zona amplia en casa o en el jardín.
3. Pon la cuerda en el suelo en línea recta y dile a tu hijo que se tumbe sobre ella.
4. Tuerce la cuerda y dile al niño que se ponga sobre ella para adoptar la misma forma.
5. Crea nuevas formas con la cuerda para que tu hijo haga por ejemplo una «s», una «v», un círculo, un triángulo o un cuadrado.

Variación: Dile a tu hijo que diseñe formas con la cuerda e intente adaptarse a ellas. Escribe las letras del alfabeto con la cuerda para ver si puede formar todas las letras.

Seguridad: Comprueba que la zona de juego esté despejada y sea segura para tumbarse en ella.

PASEO CON FORMAS

Tu hija se lo pasará de lo lindo aprendiendo formas mientras das un paseo con ella dentro o fuera de casa.

Materiales:
- Una zona con muchas formas para ver

Aprendizaje:
- Conocimiento del cuerpo
- Capacidad de clasificación y selección
- Capacidad mental/cognitiva
- Desarrollo del lenguaje y el vocabulario
- Interacción social
- Relaciones espaciales

Instrucciones:
1. Muestra a tu hija las formas que quieres que busque a lo largo del paseo, por ejemplo un círculo, un cuadrado, un triángulo, un óvalo o un rectángulo.
2. Da con ella un paseo por la casa, el jardín o un parque.
3. Elige una forma y dile que busque objetos que tengan esa forma.
4. Continúa hasta que haya localizado todas las formas.
5. Cuando termine, dale algo de comer y pregúntale qué forma tiene la galleta o el sándwich.

Variación: Lleva unas hojas de papel para que tu hija dibuje el objeto cada vez que encuentre una forma.

Seguridad: Dile que ande con cuidado para que no se tropiece al buscar todas esas formas.

ESCULTURA COMPARTIDA

Haz una escultura con tu hijo para compartir vuestras ideas creativas y pasar un rato muy divertido.

Aprendizaje:	
	• Causa y efecto • Expresión emocional • Desarrollo de la motricidad fina • Resolución de problemas • Cooperación • Interacción social

Materiales:

- Plastilina, arcilla u otro material para esculpir
- Una mesa

Instrucciones:

1. Compra plastilina o haz arcilla de diferentes colores.
2. Divide la arcilla; dale a tu hijo una mitad y quédate tú con la otra.
3. Para comenzar con la escultura modela una pieza pequeña y ponla sobre una mesa.
4. Dile a tu hijo que modele una pieza pequeña y la añada a la tuya.
5. Trabajad de forma alterna para añadir nuevas piezas a la escultura. Observad cómo va cambiando.
6. Cuando terminéis admirad vuestra obra de arte y buscad juntos un nombre para ella.

Variación: Dile a tu hijo que comience a hacer una escultura mientras tú haces otra. Al cabo de unos minutos, cambiad de asiento. Dile que siga con tu escultura mientras tú sigues con la suya. Continuad hasta que estén acabadas los dos esculturas.

Seguridad: Utiliza un material para esculpir no tóxico.

BAILE INTERRUMPIDO

Bailar al ritmo de la música es muy fácil. Pero ¿podrá tu hija pararse cuando deje de sonar la música de repente?

Materiales:

- Un radiocasete
- Una cinta o un CD con música de baile

Aprendizaje:	
	• Creatividad e imaginación • Expresión emocional • Desarrollo de la motricidad gruesa • Capacidad auditiva • Autoconocimiento • Relaciones espaciales

Instrucciones:

1. Busca una cinta o un CD con música de baile divertida.
2. Dile a tu hija que se ponga en medio de la habitación y espere a que suene la música.
3. Cuando pulses el «play» dile que empiece a bailar.
4. Cuando pulses el «stop» debe pararse y quedarse quieta hasta que la música vuelva a sonar.
5. Continúa poniendo y quitando la música hasta que se termine la canción.
6. Haz lo mismo con otra canción u otro tipo de música.

Variación: Cada vez que tu hija se pare, dile que baile de otro modo cuando vuelva a sonar la música. Deja que ponga y quite una canción mientras tú bailas.

Seguridad: Asegúrate de que no haya ningún obstáculo en la habitación.

De 4 a 4 ½ años

COLLAR DE MACARRONES

Ayuda a tu hijo a hacer su propio collar con unos cuantos macarrones y un trozo de hilo.

Materiales:
- 8 cuencos
- Colorante alimentario rojo, azul, verde y amarillo
- Macarrones pequeños
- 4 cucharas para remover
- Toallitas de papel
- Hilo
- Una aguja grande sin punta

Aprendizaje:	
	• Causa y efecto • Capacidad mental/cognitiva • Creatividad e imaginación • Desarrollo de la motricidad fina • Autoconocimiento/ autoestima

Instrucciones:

1. Echa varias gotas de colorante alimentario en cuatro cuencos, un color por cuenco.
2. Divide los macarrones en cuatro montones y ponlos en los cuencos. Asegúrate de que sean rectos, no curvados.
3. Remueve los macarrones hasta que estén todos teñidos.
4. Ponlos en una toallita de papel para que absorba el exceso de color.
5. Cuando se sequen los macarrones ponlos en otros cuatro cuencos.
6. Dale a tu hijo un trozo de hilo para que haga un collar.
7. Ata un macarrón a un extremo del hilo.
8. Enhebra el otro extremo en la aguja.
9. Deja que el niño meta los macarrones en el hilo con la aguja hasta que el hilo esté cubierto.
10. Ata los extremos del hilo y pásale el collar por la cabeza.

Variación: En lugar de macarrones utiliza cereales de colores con agujeros.

Seguridad: Enseña a tu hijo a usar la aguja con cuidado. Asegúrate de que el collar sea lo bastante largo para que pase por su cabeza.

De 4 a 4 ½ años

SALÓN DE PELUQUERÍA

Crea un salón de peluquería en tu propia bañera para que tu hija se peine mientras se da un baño.

Materiales:
- Una bañera
- Champú para niños
- Colorante alimentario
- Horquillas
- Un espejo irrompible

Aprendizaje:	
	• Conocimiento del cuerpo • Creatividad e imaginación • Expresión emocional • Desarrollo de la motricidad fina

Instrucciones:
1. Llena la bañera de agua caliente.
2. Dile a tu hija que se meta en ella.
3. Ponte un poco de champú en la mano y añade unas gotas de colorante alimentario para teñirlo (se aclara fácilmente).
4. Lava a tu hija la cabeza con abundante espuma.
5. Dale el espejo para que pueda verse.
6. Deja que se haga diferentes peinados con el champú de colores.
7. Utiliza horquillas y otros accesorios para que resulte más divertido.
8. No olvides hacerle unas fotografías.
9. Cuando termine aclara el champú.

Variación: Dale a tu hija espuma en el pelo antes de que se meta en la bañera y se haga diferentes peinados. Para quitar la espuma lávale la cabeza como de costumbre.

Seguridad: Utiliza champú para niños para que a tu hija no le piquen los ojos. Ten una esponja a mano para limpiar las gotas de champú.

CHARLA EN LA MESA

Este juego es estupendo para cuando estéis en un restaurante esperando a que llegue la comida.

Materiales:

- Objetos habituales en una mesa, como platos, cubiertos, sal y pimienta, servilleteros, palillos de dientes, paquetes de azúcar y cartas o menús

Aprendizaje:	
	• Capacidad de clasificación • Capacidad mental/ cognitiva • Desarrollo del lenguaje y el vocabulario • Resolución de problemas • Interacción social

Instrucciones:

1. Mientras esperáis en un restaurante a que llegue la comida, dile a tu hijo que estás pensando en algo que hay sobre la mesa.
2. Dale una pista, por ejemplo el color, el tamaño, el peso o su utilidad.
3. Deja que adivine de qué se trata.
4. Felicítale cuando lo consiga.
5. Si se equivoca sigue dándole pistas.
6. Cuando acierte, deja que él elija un objeto y te dé pistas.
7. Turnaos hasta que no quede nada más en la mesa.

Variación: Incluye en el juego cualquier cosa que haya en el restaurante.

Seguridad: No dejes que el niño se levante de la mesa. Dile que debe localizar el objeto desde su asiento.

De 4 a 4 ½ años

DIBUJOS A TURNOS

Dos cabezas funcionan mejor que una a la hora de terminar una obra de arte.

Materiales:

- 2 hojas grandes de papel
- Pinturas o rotuladores
- Una mesa
- Un cronómetro

Aprendizaje:	
	• Causa y efecto • Creatividad e imaginación • Desarrollo de la motricidad fina • Interacción social

Instrucciones:

1. Dale a tu hija una hoja de papel y quédate tú con la otra.
2. Siéntate enfrente de ella y comenzad a hacer un dibujo con las pinturas o los rotuladores.
3. Marca un minuto en el cronómetro.
4. Cuando se acabe el tiempo, intercambiad los papeles y seguid con el dibujo de la otra persona.
5. Conecta de nuevo el cronómetro y continuad de este modo hasta que los dibujos estén terminados.
6. Poned título a los dibujos y colgadlos en las paredes.

Variación: Comenzad los dos a dibujar un animal o una persona empezando por la cabeza. Cuando la cabeza esté terminada, intercambiad los papeles para dibujar los cuerpos. Continuad de este modo para hacer las patas, las colas y el resto de los detalles hasta que los dibujos estén acabados.

Seguridad: Utiliza rotuladores no tóxicos.

CONVERSACIÓN TELEFÓNICA

A veces es más divertido hablar por teléfono que cara a cara. Verás cómo disfruta tu hijo haciendo un teléfono móvil y hablando contigo.

Materiales:
- 2 cajas pequeñas alargadas que vayan de la oreja a la boca de tu hijo
- Unas tijeras
- Papel adhesivo, pintura en spray, pegatinas y otros detalles decorativos

Aprendizaje:	
	• Capacidad mental/ cognitiva • Desarrollo de la motricidad fina • Desarrollo del lenguaje y el vocabulario • Interacción social

Instrucciones:
1. Haz dos teléfonos móviles cubriendo unas cajas alargadas con papel adhesivo o pintándolas de un color llamativo.
2. Recorta un agujero en la parte de arriba para la oreja y otro en la parte de abajo para la boca.
3. Dale a tu hijo su teléfono móvil y deja que lo decore con pegatinas y otros detalles.
4. Ve al otro lado de la habitación y llámale al móvil o dile que te llame él a ti.
5. Mantened una conversación sobre lo que ha hecho en la escuela o cualquier otra cosa.

Variación: Si tienes teléfonos móviles de verdad, puedes jugar con ellos, pero no los enciendas.

Seguridad: No olvides pulir los bordes irregulares.

De 4 a 4 ½ años

CAPTURA DE PUNTILLAS

Dile a tu hija que se acerque a ti de puntillas e intente coger un juguete para pasar juntos un rato estupendo.

Materiales:
- El suelo
- Un juguete o un dulce

Aprendizaje:	• Conocimiento del cuerpo • Capacidad mental/ cognitiva • Desarrollo de las motricidades fina y gruesa • Resolución de problemas • Interacción social • Relaciones espaciales

Instrucciones:
1. Siéntate en el suelo en medio de una habitación de espaldas a la puerta.
2. Dile a tu hija que espere en otra habitación y cuente hasta diez.
3. Ponte un juguete o un dulce detrás de la espalda.
4. Cuando la niña termine de contar, debe entrar de puntillas en la habitación para intentar coger el juguete o el dulce antes de que tú la pilles.
5. Turnaos para seguir jugando.

Variación: Ponte una venda en los ojos y coloca el objeto delante de ti para que tu hija entre de puntillas e intente cogerlo. Extiende los brazos de vez en cuando para intentar pillarla.

Seguridad: Asegúrate de que el suelo no resbale, y no muevas los brazos con fuerza para no hacer daño a la niña.

TORRE TEMBLOROSA

A veces a los niños les gusta más derribar cosas que construirlas. He aquí un juego de construcción con un final emocionante.

Materiales:
- Un suelo de madera o una mesa grande
- Bloques, galletas u otros objetos apilables

Aprendizaje:	• Causa y efecto • Desarrollo de la motricidad fina • Resolución de problemas • Interacción social

Instrucciones:
1. Busca una superficie plana para jugar, como un suelo de madera o una mesa grande.
2. Reúne varios objetos apilables, por ejemplo bloques, galletas o juguetes planos pequeños.
3. Estableced turnos para apilar los objetos y construir una torre.
4. Dile a tu hijo que tenga cuidado al apilar los objetos a medida que la torre vaya creciendo.
5. El jugador que haga que la torre se caiga tendrá que recoger las piezas.
6. Jugad de nuevo.

Variación: En lugar de hacer una torre, compra o crea un juego de piezas apilables en el que haya que evitar que la torre se caiga al ir quitando las piezas.

Seguridad: Asegúrate de que los objetos no le hagan daño a tu hijo al caer.

DE CUATRO AÑOS Y MEDIO A CINCO AÑOS

En esta etapa las simulaciones alcanzan su punto culminante. Tu hijo está entrando en el mundo de la creatividad, la ilusión y el juego fantástico. A veces, le encontrarás hablando con amigos imaginarios o representando escenas de películas y de la televisión. Este tipo de juegos le dan la oportunidad de relacionarse con los demás de maneras distintas, explorar situaciones que teme o desconoce y asumir diferentes papeles mientras aprende a ser menos egocéntrico. Éstos son los aspectos más importantes de este periodo:

- Tu hijo se expresa de un modo sano y creativo al adoptar nuevos papeles. Ayúdale a representar algo que le interese, por ejemplo uno de sus personajes favoritos, un acontecimiento reciente o una situación familiar; proporciónale materiales y accesorios para que sus intereses cobren vida.
- Tu hijo disfrutará especialmente con las simulaciones de temas cotidianos, entre ellos atender la casa, ir a trabajar, cuidar a sus muñecos, crear una escuela y representar situaciones que teme, como una enfermedad o la muerte. Proporciónale disfraces para que pueda convertirse en un héroe, un monstruo, un animal o un fantasma.
- Tu hijo también necesita aventuras al aire libre para que su imaginación le lleve a una jungla, un bosque o un volcán lleno de lava. Ayúdale a construir fuertes, tiendas de campaña y cobertizos para que pueda escenificar sus fantasías.

BALONCESTO CON CUENCO

He aquí un sencillo juego que a tu hija le resultará muy divertido y estimulante.

Materiales:
- Una zona de suelo despejada
- Una pelota pequeña que no bote demasiado
- Un cuenco grande

Aprendizaje:	
	• Causa y efecto • Capacidad mental/ cognitiva • Desarrollo de las motricidades fina y gruesa • Resolución de problemas • Relaciones espaciales

Instrucciones:
1. Despeja la zona de juego y pon un cuenco en el suelo.
2. Dile a tu hija que se siente a medio metro del cuenco.
3. Dale la pelota y dile que la meta en el cuenco. Demuéstrale cómo se hace si es necesario.
4. Cuando haya hecho unos cuantos lanzamientos, dile que se aleje un poco más y vuelva a intentarlo.

Variación: Busca varios cuencos de diferentes tamaños y ponlos en medio de la habitación. Pon pegatinas y otros premios en cada cuenco. Cuando la niña enceste la pelota dale un premio de ese cuenco.

Seguridad: Evita los cuencos de cristal. Procura que sean de plástico o de metal.

De 4 ½ a 5 años

CODO CON CODO

Dicen que dos cabezas funcionan mejor que una. ¿Y dos cuerpos? Averígualo mientras pasas un buen rato con tu hijo.

Aprendizaje:
- Causa y efecto
- Capacidad mental/cognitiva
- Desarrollo de las motricidades fina y gruesa
- Resolución de problemas
- Identidad/autoconocimiento
- Interacción social
- Relaciones espaciales

Materiales:
- Una zona de suelo despejada
- 2 rollos de celofán o cinta adhesiva de colores

Instrucciones:
1. Ponte enfrente de tu hijo en medio de una zona despejada.
2. Dale un rollo de cinta adhesiva y quédate con el otro.
3. Dile que empiece a pegarse a ti mientras tú te pegas a él. Pegaos con la cinta los brazos, las piernas, la cintura y la ropa.
4. Luego buscad una manera de andar juntos por la habitación.
5. Intentad hacer cosas fáciles, como recoger juguetes, responder al teléfono o jugar a juegos sencillos.
6. Ten a mano unas tijeras por si necesitas soltarte con rapidez. Al terminar de jugar, turnaos para quitaros los trozos de cinta adhesiva.

Variación: Pega tiras de cartón a los brazos y las piernas de tu hijo y dile que ande como Frankenstein.

Seguridad: Jugad en una zona enmoquetada o con hierba, e intenta no caerte encima de tu hijo.

De 4 ½ a 5 años

BÚSQUEDA DE INSECTOS

A esta edad es muy probable que a tu hija le fascinen los insectos. Organiza una búsqueda de insectos para que disfrute de lo lindo.

Materiales:

- Un bloc y rotuladores o una Polaroid
- Un parque, un jardín u otra zona al aire libre
- Una lupa
- Un libro de insectos (opcional)

Aprendizaje:

- Capacidad de clasificación
- Capacidad mental/cognitiva
- Respeto por la naturaleza
- Relaciones espaciales
- Discriminación visual

Instrucciones:

1. Ve a pasear con tu hija a un parque o una zona natural. Lleva un bloc pequeño y rotuladores o una Polaroid.
2. Durante el paseo ayuda a la niña a buscar insectos. Utiliza una lupa para verlos mejor.
3. Cuando encuentres un insecto, dile a tu hija que lo dibuje o haga una fotografía.
4. Continuad paseando para buscar diferentes insectos.
5. Cuando hayáis reunido unos cuantos, volved a casa para organizar los dibujos o las fotografías. Si usas una cámara normal lleva el carrete a revelar.
6. Pon los dibujos o las fotografías sobre una mesa y dile a tu hija que examine los insectos y que busque en ellos rasgos similares y diferentes.
7. Si tienes un libro de insectos, dile que intente identificarlos.

Variación: Jugad de nuevo, pero esta vez para buscar diferentes tipos de flores y plantas.

Seguridad: Ten cuidado con los insectos que piquen.

De 4 ½ a 5 años

CARA PINTADA

Ayuda a tu hijo a verse de otro modo para que desarrolle su sentido de la identidad.

Aprendizaje:
• Creatividad e imaginación • Simulación/autoafirmación • Desarrollo de la motricidad fina • Desarrollo del lenguaje y el vocabulario • Autoconocimiento/autoestima

Materiales:
- Pinturas faciales no tóxicas, que se venden en jugueterías y tiendas de manualidades
- Una mesa o el suelo
- Un espejo

Instrucciones:
1. Pon las pinturas sobre la mesa o en el suelo.
2. Coloca cerca un espejo para que tu hijo pueda verse.
3. Deja que se pinte la cara usando su imaginación.
4. Cuando termine, hazle fotografías, visitad a los vecinos o dile que asuste a otros miembros de la familia.
5. Dile que se invente una historia sobre su nueva cara y que la represente si quiere.

Variación: Píntale a tu hijo la cara sin dejar que se vea. Se quedará sorprendido al mirarse en el espejo. Dile que te explique qué diferencias hay entre las caras que pinte.

Seguridad: Utiliza pinturas faciales no tóxicas que se quiten con facilidad.

De 4 ½ a 5 años

ROSTROS CON SENTIMIENTO

Aunque tu hija experimenta muchas emociones, no siempre sabe cómo expresarlas. Este juego le ayudará.

Materiales:
- Fotografías de revistas de gente cuyos rostros expresen emociones, o bien cuentos baratos
- Unas tijeras
- El suelo o una mesa

Aprendizaje:
- Capacidad mental/ cognitiva
- Expresión emocional
- Desarrollo del lenguaje y el vocabulario
- Autoconocimiento
- Interacción social

Instrucciones:
1. Busca unas cuantas fotografías de niños y adultos que expresen emociones con su cara.
2. Recorta las fotos y ponlas en un montón.
3. Siéntate con tu hija en el suelo o en una mesa y pon las fotos en medio boca abajo.
4. Da la vuelta a la primera fotografía y enséñasela a tu hija.
5. Pregúntale qué cree que está sintiendo esa persona. Si le cuesta expresarse, ayúdale con las palabras.
6. Dile que imite la cara de la foto.
7. Explícale cómo se expresan algunas emociones y por qué es importante hacerlo.

Variación: Turnaos para elegir una foto del montón sin enseñársela a la otra persona. Imita la cara de la foto y dile a tu hija que adivine de qué emoción se trata.

Seguridad: Ten cuidado con las tijeras al recortar las fotografías.

De 4 ½ a 5 años

PAQUETES DE ALUMINIO

A los niños les encanta adivinar qué son las cosas por su forma, sobre todo si los objetos son familiares y divertidos.

Materiales:

- Varios juguetes pequeños de tu hijo, por ejemplo un animal de peluche, una pelota, un bloque o un muñeco
- Papel de aluminio
- Una bolsa de papel
- El suelo o una mesa

Aprendizaje:

- Capacidad de clasificación
- Capacidad mental/ cognitiva
- Desarrollo de la motricidad fina
- Imágenes mentales
- Interacción social

Instrucciones:

1. Reúne unos cuantos juguetes pequeños de tu hijo.
2. Envuelve los objetos con papel de aluminio.
3. Mételos en una bolsa de papel y ponla en una mesa o en el suelo entre tu hijo y tú.
4. Dile al niño que cierre los ojos.
5. Saca un objeto y dáselo.
6. Dile que lo toque e intente adivinar qué es.
7. Cuando lo consiga, desenvuelve el objeto para ver si ha acertado.
8. Repite estos pasos hasta que haya identificado todos los objetos.
9. Deja que el niño envuelva un objeto para que tú adivines qué es.

Variación: Para que el juego resulte más difícil utiliza objetos similares, por ejemplo animales de peluche. A tu hijo debería costarle más distinguirlos.

Seguridad: Comprueba que todos los objetos sean seguros para el niño.

SIGUE AL LÍDER

Dile a tu hija que se mueva como tú antes de cambiar de turno para que ella lidere y tú imites sus movimientos.

Materiales:
- Una zona de juego grande

Aprendizaje:	
	• Conocimiento del cuerpo • Capacidad mental/ cognitiva • Desarrollo de la motricidad gruesa • Resolución de problemas • Relaciones espaciales

Instrucciones:
1. Decide quién será antes el líder.
2. Mientras el líder anda por la casa o por el jardín como quiera, la otra persona debe imitar sus movimientos.
3. Turnaos a intervalos regulares para que tu hija sea también líder y tú la sigas.

Variación: Pon música de fondo para que los movimientos sean más creativos. Jugad en un parque o en un gimnasio.

Seguridad: Comprueba que la zona sea segura para que nadie se haga daño. No pierdas de vista a tu hija para que no intente hacer ningún movimiento peligroso.

De 4 ½ a 5 años

SALTAMONTES Y MARIPOSAS

Con este divertido juego tu hijo aprenderá a estar atento y escuchar las instrucciones.

Materiales:

- Fotografías de saltamontes, mariposas y otros insectos que se muevan de un modo interesante
- Una habitación despejada

Aprendizaje:	
	• Cuasa y efecto • Capacidad de clasificación • Capacidad mental/ cognitiva • Capacidad de atención • Resolución de problemas • Interacción social

Instrucciones:

1. Busca fotografías de insectos en libros o revistas de naturaleza.
2. Habla a tu hijo de los insectos y de cómo se mueven. Demuéstraselo si es necesario.
3. Poneos en medio de una habitación despejada.
4. Di en voz alta el nombre del primer insecto, por ejemplo «saltamontes».
5. Imitad los movimientos de ese insecto, en este caso dando saltos por la habitación.
6. Al cabo de unos segundos, la otra persona debe decir el nombre de otro insecto, por ejemplo «mariposa».
7. Cambiad inmediatamente para moveros como mariposas.
8. Turnaos para decir los nombres de los insectos de las fotos y cambiad de movimientos.

Variación: Buscad otras fotografías de animales, como mamíferos o reptiles, para imitar sus movimientos.

Seguridad: Asegúrate de que haya suficiente espacio para moveros sin problemas.

EN EL BOLSO

Si tu hija siente curiosidad por lo que llevas en el bolso, ábrelo para enseñarle lo que hay dentro.

Materiales:
- Objetos que lleves en el bolso o la cartera
- El suelo o una mesa

Aprendizaje:	• Capacidad de clasificación • Capacidad mental/ cognitiva • Desarrollo del lenguaje y el vocabulario • Imágenes mentales/ imaginación • Interacción social

Instrucciones:
1. Saca cualquier objeto que pueda ser peligroso o inapropiado para tu hija.
2. Siéntate en el suelo o en una mesa con el bolso entre las dos.
3. Pregúntale qué cree que hay en el bolso.
4. Saca los objetos a medida que los nombre, por ejemplo las llaves, el monedero o los pañuelos.
5. Pregúntale si sabe para qué sirven.
6. Si no se le ocurre nada, dale pistas diciéndole cómo se utilizan.

Variación: Dile a tu hija que meta unos cuantos objetos en una bolsa para que tú adivines qué hay dentro. Pídele que te dé pistas si es necesario.

Seguridad: No olvides sacar todos los objetos peligrosos o inadecuados.

De 4 ½ a 5 años

VARITA MÁGICA

¿Sabe tu hijo que su cuerpo es mágico? Lo único que necesita es una varita mágica para demostrarte lo que puede hacer.

Materiales:

- Una varita mágica hecha con un palo de 30-50 centímetros, pintada o cubierta con lazos de colores

Aprendizaje:	
	• Capacidad de clasificación • Creatividad e imaginación • Desarrollo de las motricidades fina y gruesa • Desarrollo del lenguaje y el vocabulario • Identidad/ autoconocimiento • Interacción social

Instrucciones:

1. Siéntate a la mesa enfrente de tu hijo.
2. Dile que tienes una varita mágica que puede hacer que su cuerpo haga cosas mágicas.
3. Tócale la mano con la varita.
4. Pídele que te demuestre las cosas mágicas que puede hacer su mano, por ejemplo moverse, abrirse, cerrarse, coger cosas, estirarse, señalar o tocar el piano.
5. Sigue tocando otras partes de su cuerpo, incluidos los pies, las piernas, el torso, la cabeza, los dedos, los labios, los hombros y las rodillas.

Variación: Turnaos con la varita para demostrar lo que pueden hacer las diferentes partes del cuerpo.

Seguridad: Tened cuidado para no haceros daño sin querer.

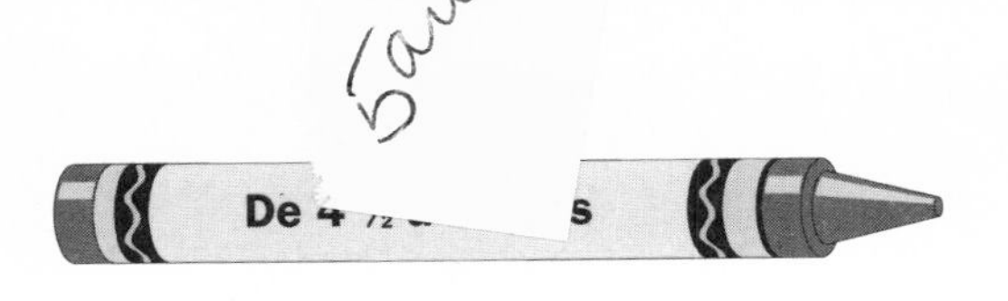

PISTA DE OBSTÁCULOS

A los niños les encantan los retos físicos, y nunca parecen cansarse de las pistas de obstáculos.

Materiales:

- Una habitación grande llena de obstáculos, como almohadas y cojines, mantas y sábanas, cajas grandes de cartón, sillas y mesas, cuencos, cubos, cestas, neumáticos, aros, cuerdas, juguetes blandos y bloques

Aprendizaje:

- Causa y efecto
- Capacidad mental/cognitiva
- Desarrollo de la motricidad gruesa
- Resolución de problemas
- Autoconocimiento
- Relaciones espaciales

Instrucciones:

1. Reúne varios objetos para hacer una pista de obstáculos.
2. Ponlos por toda la habitación para que tu hija pase por encima, por debajo y a través de ellos.
3. Dile que se ponga al comienzo de la pista e intente seguirla hasta el final.
4. Observa cómo avanza a lo largo del camino y felicítala cada vez que supere un reto.

Variación: Deja que ella haga una pista de obstáculos para ti.

Seguridad: Comprueba que todos los objetos sean seguros para tu hija, y no uses nada frágil o afilado.

De 4 ½ a 5 años

PLATOS Y VASOS DE PAPEL

Enseña a tu hijo a construir cosas con cualquier material. Dile que empiece con platos y vasos de papel para ver qué se le ocurre.

Materiales:
- Varios platos de papel de distintos tamaños y colores
- Varios vasos de papel de distintos tamaños y colores
- Un suelo liso o una mesa despejada
- Pegamento o cinta adhesiva
- Palos de helado (opcional)

Aprendizaje:
• Causa y efecto • Capacidad mental/ cognitiva • Desarrollo de la motricidad fina • Desarrollo del lenguaje y el vocabulario • Resolución de problemas

Instrucciones:
1. Pon los platos y los vasos de papel en un suelo liso o una mesa despejada.
2. Dile a tu hijo que construya algo con ellos.
3. Si tiene problemas para empezar, sugiérele ideas o enséñale a apilar los platos y los vasos de forma alternativa.
4. Si quiere unirlos para que no se caigan dale pegamento o cinta adhesiva.
5. Deja que experimente con otros materiales de construcción, por ejemplo con palos de helado.

Variación: Trabajad juntos en un proyecto común.

Seguridad: Enséñale a usar el pegamento y la cinta adhesiva con cuidado.

ESCULTURAS CON LIMPIAPIPAS

Ayuda a tu hija a desarrollar su habilidad manual con esta divertida actividad.

Aprendizaje:
• Causa y efecto • Capacidad mental/ cognitiva • Creatividad e imaginación • Desarrollo de la motricidad fina • Resolución de problemas

Materiales:
- Una mesa
- Limpiapipas de varios colores

Instrucciones:
1. Despeja una mesa y dile a tu hija que se siente en ella.
2. Pon los limpiapipas sobre la mesa.
3. Enséñale a usar los dedos para doblar, moldear, unir y dar forma a los limpiapipas.
4. Deja que haga lo que quiera. Si tiene problemas para empezar, proponle que haga animales, personas, letras, números, edificios o esculturas abstractas.

Variación: Haz con tu hija proyectos más ambiciosos, como un zoo lleno de animales, una ciudad llena de gente y edificios o una gran familia.

Seguridad: Dile a la niña que tenga cuidado con las puntas de los limpiapipas.

De 4 ½ a 5 años

COMPRA DE ZAPATOS

Andar con unos zapatos a medida es muy fácil. Observa cómo se tambalea tu hijo con este divertido juego.

Aprendizaje:	• Capacidad mental /cognitiva • Desarrollo de la motricidad gruesa • Resolución de problemas • Identidad /autoconocimiento • Relaciones espaciales

Materiales:
- Zapatos de adultos de diferentes tipos, por ejemplo botas, sandalias, zapatos de tacón, zapatillas y deportivos

Instrucciones:
1. Busca zapatos en los armarios o compra unos cuantos baratos.
2. Pon los zapatos en fila para que tu hijo pueda verlos bien.
3. Deja que elija un par y se los pruebe.
4. Dile que ande por la casa para ver cómo le quedan.
5. Luego dile que haga algo con los zapatos puestos, como pasar por encima de un cojín o por debajo de una mesa.
6. Cuando acabe con ese par, dile que haga lo mismo con otro.

Variación: Mezcla los zapatos para que le resulte más difícil andar.

Seguridad: Asegúrate de que la zona esté despejada, y no incluyas zapatos con los que el niño pueda torcerse el tobillo. No le pierdas de vista mientras ande con los zapatos.

De 4 ½ a 5 años

ANDARES GROTESCOS

Ahora que tu hija controla bien su cuerpo, proponle un juego de andares grotescos para que te demuestre sus habilidades.

Materiales:

- Una zona de juego grande

Aprendizaje:	
	• Capacidad mental/ cognitiva • Creatividad e imaginación • Desarrollo de la motricidad gruesa • Autoafirmación/simulación • Interacción social

Instrucciones:

1. Busca una zona grande en la que haya espacio para moverse con libertad.
2. Comienza a andar de una manera grotesca, por ejemplo haciendo temblar las piernas, con un pie hacia delante y el otro hacia atrás, de rodillas, con las piernas separadas, sobre los talones o con las puntas y los talones.
3. Estableced turnos con tu hija para que una ande de una manera grotesca y la otra la imite.

Variación: Piensa en otros movimientos grotescos. Anima a tu hija a ser creativa con todo su cuerpo.

Seguridad: Retira cualquier obstáculo que pueda ser peligroso.

De 4 ½ a 5 años

OLORES

A medida que tu hijo se familiarice con su entorno, distinguirá mejor los olores, y se lo pasará en grande con este juego.

Materiales:
- Varios objetos interesantes para oler, por ejemplo un plátano, una taza de café, un trozo de pan recién hecho, una flor, colonia, un trozo de goma y un osito de peluche
- Bolsas de papel
- Una mesa o el suelo

Aprendizaje:
• Capacidad de clasificación • Capacidad mental/ cognitiva • Imágenes mentales • Discriminación sensorial • Interacción social

Instrucciones:
1. Reúne varios objetos olorosos y ponlos en bolsas de papel.
2. Siéntate a la mesa o en el suelo con las bolsas de papel entre tu hijo y tú.
3. Abre una bolsa y acércasela a la nariz sin dejar que vea lo que hay dentro.
4. Dile que adivine qué está oliendo.
5. Si necesita ayuda, dale pistas.
6. Cuando acierte enséñale el objeto.
7. Haz lo mismo con el resto de las bolsas.

Variación: Elige alimentos que tengan un olor parecido para ver si tu hijo puede identificarlos.

Seguridad: Asegúrate de que los olores no sean demasiado fuertes.

De 4 ½ a 5 años

ALGUIEN ESPECIAL

He aquí otro divertido juego de adivinanzas. Piensa en alguien especial y dile a tu hija que adivine quién es. Podría ser ella misma.

Materiales:
- Fotografías de miembros de la familia, amigos y gente famosa

Aprendizaje:	
	• Capacidad de clasificación • Capacidad mental/ cognitiva • Desarrollo del lenguaje y el vocabulario • Imágenes mentales • Interacción social

Instrucciones:
1. Reúne unas cuantas fotos de gente conocida y ponlas sobre una mesa.
2. Dile a tu hija que eche un vistazo a las fotos.
3. Dile que estás pensando en alguien especial, y que debe hacerte preguntas que se respondan con un sí o un no para averiguar quién es. Ponle un ejemplo si es necesario.
4. Deja que haga preguntas hasta que adivine de quién se trata.
5. Dile que piense en alguien especial para que tú adivines quién es.

Variación: Para que el juego resulte más emocionante, retira las fotografías de la mesa antes de que comience con las preguntas.

Seguridad: Elige personas que tu hija conozca para que no se sienta frustrada.

PICNIC CON OSOS DE PELUCHE

Es sorprendente cuánto aprenden los niños con cualquier actividad, incluso haciendo un picnic con ositos de peluche.

Materiales:
- 1 o 2 ositos de peluche
- Sándwiches, bebidas, galletas y otros tentempiés
- Una cesta de picnic
- Una manta

Aprendizaje:	
	• Capacidad mental/cognitiva • Desarrollo de la motricidad fina • Desarrollo del lenguaje y el vocabulario • Autoafirmación/simulación • Interacción social

Instrucciones:
1. Dile a tu hijo que busque a sus osos de peluche y les diga que van a ir de picnic.
2. Prepara unos cuantos sándwiches, tentempiés y bebidas.
3. Mete la comida en una cesta de picnic. No olvides llevar una manta.
4. Id al parque con la cesta y los ositos de peluche y buscad un sitio agradable para merendar. Hablad de todo tipo de cosas incluyendo a los osos en la conversación.

Variación: En vez de ir al parque, haced un picnic en casa y simulad que estáis en un bosque.

Seguridad: Enseña a tu hijo a recoger bien la comida para no manchar nada.

PALABRAS MARCADAS

En esta actividad de coordinación tu hija puede hablar todo lo que quiera, pero debe dar golpecitos mientras habla.

Materiales:
- 2 pares de zapatos que hagan ruido al golpearlos en el suelo, uno para tu hija y otro para ti
- 2 sillas

Aprendizaje:	• Coordinación/ conocimiento del cuerpo • Desarrollo de la motricidad gruesa • Desarrollo del lenguaje y el vocabulario • Interacción social

Instrucciones:
1. Dile a tu hija que se siente en una silla en la que llegue con los pies al suelo.
2. Ponle un par de zapatos en los pies.
3. Siéntate enfrente de ella y ponte tus zapatos.
4. Elige un tema de conversación, por ejemplo qué ha hecho hoy en la escuela, qué pasó ayer o los planes para el fin de semana.
5. Turnaos para hablar y marcar las palabras. Por ejemplo, si dices «Quiero ir al parque», debes dar un golpecito con cada palabra: «tap-tap-tap-tap». Anima a tu hija a marcar con más fuerza las sílabas acentuadas.
6. Seguid hablando hasta que se os cansen los pies y la lengua.

Variación: Poneos dedales en los dedos para tamborilear en la mesa mientras pronunciáis las palabras.

Seguridad: Asegúrate de que la niña llegue al suelo con los pies para que no se caiga de la silla al golpear el suelo mientras pronuncia las palabras.

De 4 ½ a 5 años

DEDOS ANIMADOS

Ayuda a tu hijo a representar diferentes personajes con los dedos para representar una función muy especial.

Aprendizaje:
• Capacidad mental/ cognitiva • Simulación/imaginación • Desarrollo de la motricidad fina • Desarrollo del lenguaje y el vocabulario • Habilidades sociales

Materiales:

- Rotuladores lavables de varios colores
- Trozos pequeños de tela
- Cinta adhesiva

Instrucciones:

1. Dibuja una cara con ojos, orejas, pelo, una nariz y una boca en cada uno de los dedos de tu hijo con rotuladores lavables. Dibuja a los miembros de la familia, a sus amigos y a otras personas importantes para él.
2. Recorta unos trocitos de tela para envolver con ellos los dedos del niño. Deja las uñas al descubierto.
3. Pega los trozos de tela alrededor de los dedos. Procura que las telas vayan a juego con las caras.
4. Anima a tu hijo a representar una función utilizando los dedos como actores. Ayúdale a empezar si es necesario.

Variación: Corta los dedos de unos guantes viejos. Dibuja caras en ellos con rotuladores y pónselos a tu hijo en los dedos para que represente otra función.

Seguridad: Asegúrate de que los rotuladores sean lavables y no tóxicos.

TRABALENGUAS

Enseña a tu hija unos cuantos trabalenguas para que desarrolle su capacidad de expresión y se ría a carcajadas.

Materiales:
- Un libro de trabalenguas sencillos

Aprendizaje:
- Capacidad mental/ cognitiva
- Coordinación
- Desarrollo del lenguaje y el vocabulario
- Capacidad de atención
- Resolución de problemas

Instrucciones:
1. Ve a una biblioteca o una librería y busca un libro de trabalenguas adecuado para el nivel de tu hija.
2. Lee uno de los trabalenguas varias veces muy despacio. Puedes comenzar con «Pablito clavó un clavito» o «Tres tristes tigres».
3. Dile a tu hija que lo repita contigo.
4. Luego dile que intente decirlo sola sin cometer ningún error.
5. Si se equivoca ríete con ella.

Variación: Inventad juntos vuestros propios trabalenguas.

Seguridad: Elige trabalenguas sencillos para que la niña no se sienta frustrada.

CUENTO CON JUGUETES

Crea con tu hijo una historia que cambie cada vez que uno elija un nuevo juguete. Verás qué bien se lo pasa.

Materiales:
- Entre 6 y 10 juguetes de tu hijo, por ejemplo una pelota, un muñeco, un bloque, una pieza de Lego, un puzzle, un pincel y un coche
- Una bolsa de papel
- El suelo o una mesa

Aprendizaje:	
	• Capacidad mental/cognitiva • Creatividad e imaginación • Desarrollo del lenguaje y el vocabulario • Interacción social

Instrucciones:
1. Mete los juguetes en una bolsa de papel sin que tu hijo los vea.
2. Siéntate en el suelo o a la mesa con la bolsa entre los dos.
3. Saca un juguete y empieza a contar una historia sobre ese juguete. Por ejemplo, si sacas una pelota podrías comenzar diciendo: «Había una vez una pelota que daba unos botes tan altos que llegaba hasta el cielo».
4. Saca otro juguete y dile a tu hijo que siga con la historia hablando de ese juguete. Por ejemplo, podría sacar un bloque y decir: «Cuando la pelota cayó al suelo se encontró con un bloque que le dijo: "Me gustaría poder botar como tú"».
5. Seguid estableciendo turnos para sacar juguetes y adaptar la historia a cada uno de ellos.
6. Terminad la historia con el último juguete.

Variación: Jugad al mismo juego con varias categorías de cosas, como alimentos, prendas de vestir o animales de peluche.

Seguridad: Comprueba que todos los objetos sean seguros para el niño.

MÚSICA ACUÁTICA

Si tu hija cree que el agua es sólo para beber y bañarse, demuéstrale lo divertido que es hacer música con ella.

Materiales:
- Entre 6 y 8 vasos idénticos
- Una mesa
- Una jarra de agua
- Colorante alimentario (opcional)
- Una cuchara de metal

Aprendizaje:	
	• Causa y efecto • Capacidad de clasificación • Capacidad mental/ cognitiva • Creatividad • Desarrollo de la motricidad fina • Capacidad auditiva • Resolución de problemas

Instrucciones:
1. Pon los vasos sobre una mesa.
2. Vierte dos centímetros de agua en el primer vaso.
3. Echa agua en el resto de los vasos, añadiendo cada vez un centímetro aproximadamente.
4. Si quieres añade unas gotas de colorante alimentario a cada vaso para que queden más vistosos.
5. Dile a tu hija que dé un golpecito en el primer vaso con una cuchara de metal.
6. Dile que dé otro golpecito en el siguiente vaso y pregúntale si suena diferente.
7. Dile que golpee los demás vasos y escuche cómo cambia el sonido.
8. Pregúntale por qué cree que pasa eso y dile que compruebe su teoría.

Variación: Dile a tu hija que cierre los ojos y escuche con atención mientras tú golpeas un vaso. Luego golpea otro vaso y pregúntale si la nota es más alta o más baja.Deja que interprete una melodía dando golpecitos en diferentes vasos con la cuchara.

Seguridad: Asegúrate de que golpee los vasos con suavidad para que no se rompan.

¿QUÉ PUEDES HACER?

Dile a tu hijo que utilice su imaginación para pensar en cosas divertidas para hacer con diferentes objetos.

Materiales:
- Varios objetos que permitan a tu hijo ser creativo, por ejemplo un pañuelo largo, una caja de cartón, una pelota, un palo, una toalla, un bloque y una taza

Aprendizaje:	
	• Capacidad mental/cognitiva • Creatividad e imaginación • Imágenes mentales • Resolución de problemas • Identidad/autoconocimiento

Instrucciones:
1. Mete los objetos en una bolsa de papel.
2. Elige un objeto y dile a tu hijo que piense qué podría hacer con él. Por ejemplo, si es un pañuelo podría agitarlo, ponérselo alrededor de la cabeza, hacer un tirador, usarlo como capa, anudarlo, transformarlo en un collar, enrollarlo, doblarlo, aplastarlo y lanzarlo.
3. Registra cada función. Cuando termine cuenta las utilidades que se le hayan ocurrido.
4. Haz lo mismo con los demás objetos.

Variación: Elige dos objetos y dile que busque maneras de combinarlos para hacer diferentes cosas con ellos.

Seguridad: Comprueba que todos los objetos sean seguros para el niño.

¿ME VES DIFERENTE?

Tu hija te ve todos los días, pero ¿se fija en ti? Averígualo con este divertido juego.

Materiales:

- Varias prendas de vestir, joyas y accesorios
- El suelo

- Capacidad mental/ cognitiva
- Desarrollo del lenguaje y el vocabulario
- Imágenes mentales
- Resolución de problemas
- Interacción social
- Discriminación visual

Instrucciones:

1. Siéntate con tu hija en el suelo para que pueda verte bien.
2. Pregúntale cómo vas vestido y ayúdale a describir tu ropa y tus accesorios.
3. Dile que cierre los ojos.
4. Quítate o cambia una prenda o un accesorio, por ejemplo desabrochando la camisa, poniéndote el reloj en el otro brazo o dando la vuelta a los calcetines.
5. Dile que abra los ojos y pregúntale si te ve diferente.
6. Deja que ella cambie su aspecto para que tú adivines qué ha cambiado.

Variación: Pon un montón de ropa en medio de la habitación. Cuando tu hija cierre los ojos, cambia una de las prendas que lleves por otra similar para ver si se da cuenta del cambio.

Seguridad: Asegúrate de que las prendas de vestir y los accesorios sean seguros para la niña.

DE CINCO AÑOS A CINCO AÑOS Y MEDIO

Los intrépidos cinco años le ofrecen a tu hijo más oportunidades para desarrollar su independencia. Cada vez tiene más autonomía para iniciar proyectos, centrarse en sus tareas, tener iniciativas y hacer cosas por sí mismo. Sentirse competente le ayudará a verse como una persona fuerte y segura, lo cual aumentará su nivel de autoestima. Un buen nivel de autoestima proporciona una sensación de competencia continua. He aquí algunas maneras de potenciar su independencia:

- Tu hijo se sentirá orgulloso y capaz cuando aprenda a hacer cosas sencillas como atarse los zapatos, montar en bicicleta o lavarse los dientes. Ayúdale a mejorar su autoestima con actividades divertidas que le estimulen sin frustrarle.
- Tu hijo se está preparando para la escuela aprendiendo a ser más independiente. Plantéale juegos que le ayuden a mejorar su capacidad para seguir instrucciones, comunicar sus necesidades y divertirse aprendiendo cosas nuevas.
- Tu hijo está empezando a disfrutar con las palabras escritas. Ayúdale a prepararse para la lectura leyéndole, contándole cuentos, hablando con él a menudo y escuchando lo que tenga que decir.

De 5 a 5 ½ años

UNA LETRA PARA CADA DÍA

Tu hijo se lo pasará en grande aprendiendo el alfabeto con este juego en el que las letras cobran vida.

Materiales:

- Una habitación, un parque o una tienda llena de cosas fáciles de identificar

Aprendizaje:

- Capacidad de clasificación
- Capacidad mental/cognitiva
- Desarrollo del lenguaje y el vocabulario
- Ejercicio de prelectura
- Interacción social

Instrucciones:

1. Dile a tu hijo que elija una letra del alfabeto cada día durante veintiséis días. No es necesario que las escoja en orden.
2. Dile cómo suena cada letra y ponle algunos ejemplos. Si elige la T haz el sonido de la T y luego di «tren», «tortuga», «teléfono», «tarjeta» y algunas otras cosas.
3. Cuando tu hijo practique el sonido, pasea con él por la casa, un parque o una tienda y dile que busque cosas que empiecen por la letra T. Por ejemplo, en casa puede encontrar una tostadora, una tetera o una televisión.
4. Pasad el día buscando cosas que empiecen por la letra correspondiente. Al día siguiente dile que elija otra letra.

Variación: Escribe la letra del día en una hoja de papel y dile al niño que dibuje las cosas que encuentre que empiecen por esa letra.

Seguridad: Dale pistas y repite el sonido mientras busque ejemplos para que no se sienta frustrado.

OTRO MOVIMIENTO

Ayuda a tu hija a desarrollar su memoria mientras practica su capacidad corporal con este divertido juego.

Materiales:
- Un espacio grande

Aprendizaje:	
	• Identidad/ conocimiento del cuerpo • Capacidad mental/ cognitiva • Creatividad e imaginación • Expresión emocional • Desarrollo de las motricidades fina y gruesa

Instrucciones:
1. Busca un espacio grande para jugar.
2. Ponte en medio de la zona de juego enfrente de tu hija.
3. Para empezar mueve una parte de tu cuerpo. Por ejemplo, levanta un brazo.
4. Dile a tu hija que te imite.
5. Añade un segundo movimiento. La niña debe imitar ambos movimientos en el orden en que los hayas hecho tú.
6. Añade más movimientos hasta que no se acuerde de lo que debe hacer.
7. Dile a tu hija que cree una serie de movimientos corporales para que tú la imites. Dile que vaya añadiendo movimientos hasta que alguien se confunda.

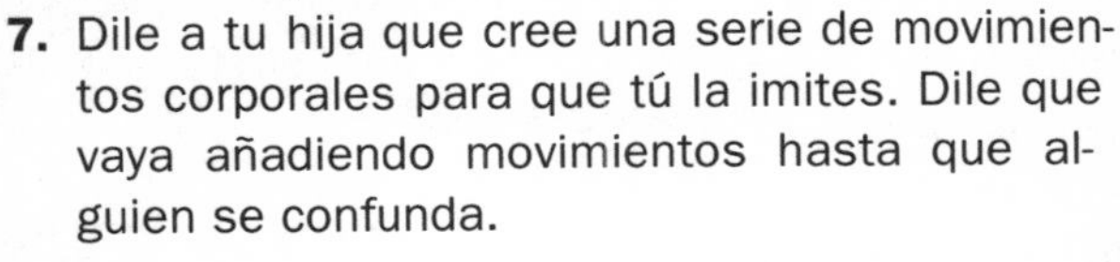

Variación: En vez de jugar con movimientos corporales jugad con palabras.

Seguridad: Asegúrate de que la zona esté despejada para no tropezar con nada.

De 5 a 5 ½ años

TODOS EN FILA

Enseña a tu hijo a ordenar cosas para que aprenda a organizar su mundo.

Materiales:

- Objetos que se puedan ordenar en serie:
  - –Pinturas rotas, de la más pequeña a la más grande
  - –Botones, del más pequeño al más grande
  - –Palos, del más corto al más largo
  - –Latas, de la más pequeña a la más grande
  - –Cosas de colores, de la más oscura a la más clara
  - –Juguetes, del más pequeño al más grande
  - –Muñecos, del más viejo al más nuevo
  - –Ropa, de la más suave a la más rígida
- El suelo o una mesa

- Causa y efecto
- Capacidad mental/cognitiva
- Desarrollo de la motricidad fina
- Desarrollo del lenguaje y el vocabulario
- Resolución de problemas
- Interacción social

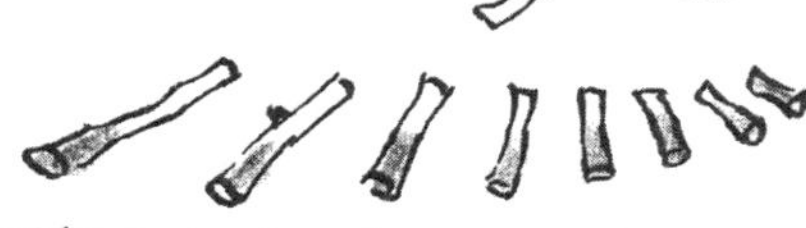

Instrucciones:

1. Reúne varios objetos que se puedan organizar en serie.
2. Ponlos en un montón en medio del suelo o de una mesa.
3. Siéntate enfrente de tu hijo con el montón entre los dos.
4. Explícale cómo se pueden organizar los objetos del más corto al más largo, del más pequeño al más grande, del más oscuro al más claro o de cualquier otro modo.
5. Dile que ordene los objetos poniéndolos en fila.
6. Si tiene problemas, recuérdale la pauta organizativa y ayúdale a elegir el siguiente objeto.
7. Haz lo mismo con otro grupo de objetos.

Variación: En vez de decirle a tu hijo que ordene los objetos en serie, dile que los clasifique en grupos siguiendo otra pauta organizativa.

Seguridad: Asegúrate de que los objetos sean seguros para el niño.

DÍA AL REVÉS

Ahora que tu hija sabe hacer muchas cosas complejas, se lo pasará en grande intentando hacerlas al revés.

Materiales:

- Actividades que se puedan hacer al revés, por ejemplo comer, ponerse la ropa o dar un paseo

Aprendizaje:	
	• Causa y efecto • Capacidad mental/cognitiva • Desarrollo de las motricidades fina y gruesa • Resolución de problemas • Autoconocimiento • Interacción social

Instrucciones:

1. Elige una actividad familiar que tu hija pueda hacer al revés.
2. Dile que es el «día al revés» y que tiene que hacer las cosas al revés.
3. Dile que se vista, coma, ande y haga cualquier otra cosa al revés.

Variación: Juega al «día contrario», en el que digas una cosa pero quieras decir lo contrario.

Seguridad: Comprueba que las actividades sean seguras para que tu hija las haga al revés.

POR AQUÍ

De 5 a 5 ½ años

CARRERA DE GLOBOS

Con los globos se puede jugar a muchas cosas diferentes, y tu hijo aprenderá mientras juega.

Materiales:
- 2 globos
- El suelo o una mesa

Aprendizaje:
• Causa y efecto • Capacidad mental/ cognitiva • Expresión emocional • Desarrollo de las motricidades fina y gruesa • Resolución de problemas • Interacción social • Relaciones espaciales

Instrucciones:
1. Infla dos globos, uno para tu hijo y otro para ti.
2. Pon los globos en el suelo en un extremo de la habitación o del jardín.
3. Poneos de rodillas detrás de los globos.
4. Comenzad a soplar los globos hasta el otro extremo de la habitación.
5. Quien llegue antes al otro lado podrá elegir el siguiente juego, por ejemplo dar patadas al globo, botarlo o darle golpecitos con la rodilla, el codo o la cabeza.

Variación: Haz una carrera de relevos con globos. Infla varios globos y pon el primero en un plato de plástico. Anda o corre por la habitación sin dejar que el globo se caiga del plato. Haz el mismo recorrido con el resto de los globos.

Seguridad: No infles demasiado los globos para que no exploten fácilmente. Asegúrate de que la zona de juego esté despejada.

De 5 a 5 ½ años

CAJAS DE BOLOS

Ayuda a tu hija a desarrollar su puntería con un sencillo juego de bolos.

Materiales:

- Entre 6 y 8 cajas de cereales vacías
- Cinta adhesiva
- Un suelo sin alfombras
- Una pelota de goma mediana

Aprendizaje:

- Causa y efecto
- Capacidad mental/ cognitiva
- Desarrollo de las motricidades fina y gruesa
- Autoconocimiento
- Relaciones espaciales

Instrucciones:

1. Reúne varias cajas de cereales y ciérralas con cinta adhesiva.
2. Pon las cajas en forma de triángulo, como si fuesen bolos, en un extremo de una habitación sin alfombras.
3. Dile a tu hija que se ponga en el otro extremo con la pelota.
4. Dile que haga rodar la pelota hacia las cajas de cereales para derribarlas.
5. Devuélvele la pelota y dile que siga intentándolo hasta que haya derribado todas las cajas.
6. Coloca de nuevo las cajas para que juegue hasta que se canse.

Variación: Dile a tu hija que se aleje un poco más cada vez que comience un juego. Pon las cajas como fichas de dominó para que cuando toque la primera se caigan las demás.

Seguridad: Asegúrate de que la primera vez esté lo bastante cerca de las cajas para que no se sienta frustrada, y retira todos los objetos que se puedan romper.

NUBES

Para este juego sólo hace falta un día nublado y mucha imaginación para ver formas diferentes en las nubes.

Materiales:
- Nubes
- Una manta

Aprendizaje:	• Capacidad mental/ cognitiva • Creatividad e imaginación • Expresión emocional • Desarrollo del lenguaje y el vocabulario • Interacción social

Instrucciones:
1. Saca fuera una manta un día nublado y extiéndela en la hierba.
2. Túmbate en ella con tu hijo para mirar las nubes.
3. Pregúntale qué ve en las nubes.
4. Dile qué ves tú.
5. Turnaos para inventar historias sobre las formas de las nubes.

Variación: Dile a tu hijo que dibuje criaturas con forma de nube y que invente historias sobre ellas.

Seguridad: Abrigaos si hace frío y protegeos los ojos si es necesario. Asegúrate de que el niño no mire directamente al sol.

BAILE POR PARTES

Bailar con todo el cuerpo es muy fácil. Dile a tu hija que baile sólo con una parte para que resulte más emocionante.

Materiales:
- Un radiocasete o un reproductor de CD
- Una cinta o un CD con música de baile

Aprendizaje:	• Causa y efecto • Capacidad mental/ cognitiva • Expresión emocional • Desarrollo de las motricidades fina y gruesa • Resolución de problemas • Identidad/ autoconocimiento • Interacción social

Instrucciones:
1. Busca una música de baile y ponla en el radiocasete o en el reproductor de CD.
2. Conecta la música y escucha el ritmo.
3. Dile a tu hija que puede bailar, pero utilizando sólo una parte del cuerpo cada vez.
4. Elige una parte del cuerpo, por ejemplo un dedo, la mano, la rodilla, la cara, el hombro, la pierna o los dedos de los pies, y dile que mueva sólo esa parte.
5. Nombra varias partes del cuerpo a lo largo de la canción para que cambie de movimientos al bailar.

Variación: Bailad juntas y turnaos para decir qué parte del cuerpo hay que mover.

Seguridad: Asegúrate de que la zona esté despejada para no tropezar con nada.

De 5 a 5 ½ años

DIBUJOS CON LÍNEAS

La capacidad artística de tu hijo es cada vez mejor. Deja que te demuestre su creatividad con esta actividad manual.

Materiales:
- Una mesa
- Hojas grandes de papel blanco
- Rotuladores

Aprendizaje:	
	• Capacidad mental/ cognitiva • Creatividad e imaginación • Expresión emocional • Desarrollo de la motricidad fina • Interacción social

Instrucciones:
1. Siéntate a la mesa con tu hijo.
2. Pon una hoja de papel y unos cuantos rotuladores delante de él.
3. Traza una línea ondulada, recta, torcida, curvada o angular en el papel con uno de los rotuladores.
4. Dile que examine los trazos que has hecho.
5. Luego dile que transforme esos trazos en un dibujo usando su imaginación.
6. Cuando termine el dibujo, guárdalo para hacer otro.

Variación: Traza formas en lugar de líneas para ver si tu hijo puede crear un dibujo con ellas.

Seguridad: Utiliza rotuladores no tóxicos.

De 5 a 5 ½ años

STOP

Averigua con cuánta rapidez puede detenerse tu hija antes de seguir moviéndose.

Materiales:

- Una zona de juego grande

Aprendizaje:	
	• Conocimiento del cuerpo • Capacidad mental/cognitiva • Desarrollo de la motricidad gruesa • Capacidad de atención • Interacción social

Instrucciones:

1. Busca una zona grande en la que tu hija pueda correr sin peligro.
2. Cuando digas «Adelante» debe empezar a correr rápidamente.
3. Cuando digas «Stop» debe pararse inmediatamente y quedarse quieta.
4. Sigue diciendo «Adelante» y «Stop» hasta que se canse.

Variación: Dale otras instrucciones, como «salta», «baila», «anda» o «gatea».

Seguridad: Asegúrate de que la zona esté despejada para que la niña no se tropiece con nada mientras corra.

¡STOP!

TARJETAS DE FELICITACIÓN

Ayuda a tu hijo a expresar sus sentimientos y a reconocer los de los demás.

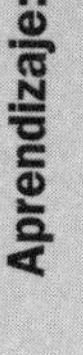

Aprendizaje:
• Capacidad mental/ cognitiva • Expresión emocional • Desarrollo del lenguaje y el vocabulario • Autoconocimiento • Interacción social

Materiales:
- Cartulinas de colores
- Rotuladores
- Sobres

Instrucciones:
1. Habla con tu hijo de un amigo o familiar que vaya a celebrar su cumpleaños, se esté recuperando de una enfermedad o vaya a cambiarse de casa.
2. Dobla una cartulina en cuatro partes para formar una tarjeta.
3. Dile a tu hijo que haga en la parte delantera un dibujo que exprese una emoción relacionada con esa situación. Por ejemplo, si alguien está enfermo puede dibujar a una persona en la cama con un termómetro en la boca.
4. Escribe en la parte interior de la tarjeta lo que quiera decir a esa persona, como «Espero que te recuperes pronto» o «Te echo de menos».
5. Mete la tarjeta en un sobre y envíala.

Variación: Anima a tu hijo a enviar tarjetas sin ningún motivo especial. Puede mandar mensajes como «Te quiero» o «Eres el mejor».

Seguridad: Ayúdale a buscar las palabras adecuadas para expresar lo que desee.

SI FUERA...

¿Qué haría tu hija si fuese otra cosa? Averígualo con este divertido juego.

Materiales:

- Revistas o cuentos baratos
- Unas tijeras

Aprendizaje:

- Capacidad mental/ cognitiva
- Creatividad e imaginación
- Expresión emocional
- Desarrollo del lenguaje y el vocabulario
- Identidad/ autoconocimiento
- Interacción social

Instrucciones:

1. Recorta ilustraciones de animales, personas, objetos, lugares y otras cosas que estimulen la imaginación de tu hija.
2. Pon las ilustraciones boca abajo en un montón.
3. Pregúntale: «¿Qué harías si fueses...?».
4. Da la vuelta a la primera ilustración y termina la frase.
5. Dile que te cuente que haría si fuese lo que aparece en la ilustración y que represente ese papel si quiere.
6. Haz lo mismo con el resto de las ilustraciones.
7. Juega tú también una o dos veces para que resulte más divertido.

Variación: En vez de usar ilustraciones, proponle situaciones para que imagine qué haría si se perdiera, si se sintiera mal, si viera un incendio o si encontrara una moneda.

Seguridad: No le plantees situaciones que le den miedo.

DIBUJO MÁGICO

Observa cómo se le ilumina la cara a tu hijo cuando aparezcan los dibujos mágicos.

Aprendizaje:
- Causa y efecto
- Capacidad mental/ cognitiva
- Expresión emocional
- Desarrollo de la motricidad fina
- Desarrollo del lenguaje y el vocabulario
- Interacción social

Materiales:
- Hojas de papel blanco de grosor mediano
- Pinturas
- Objetos planos con relieve que se marquen en el papel al pasar por encima una pintura, por ejemplo una hoja, un tapete, una tarjeta de crédito, un grabado, una plantilla, un collar fino o una moneda
- Una bolsa de papel
- Una mesa

Instrucciones:

1. Reúne varios objetos con los que tu hijo pueda crear un dibujo.
2. Mételos en una bolsa de papel sin dejar que los vea.
3. Sentaos en la mesa con la bolsa, varias hojas de papel y las pinturas.
4. Dile a tu hijo que cierre los ojos mientras pones un objeto debajo de la primera hoja de papel.
5. Dile que elija una pintura y frote con ella el papel hasta que aparezca el dibujo mágico.
6. Deja que adivine qué es y luego levanta el papel para ver si ha acertado.
7. Haz lo mismo con el resto de los objetos.

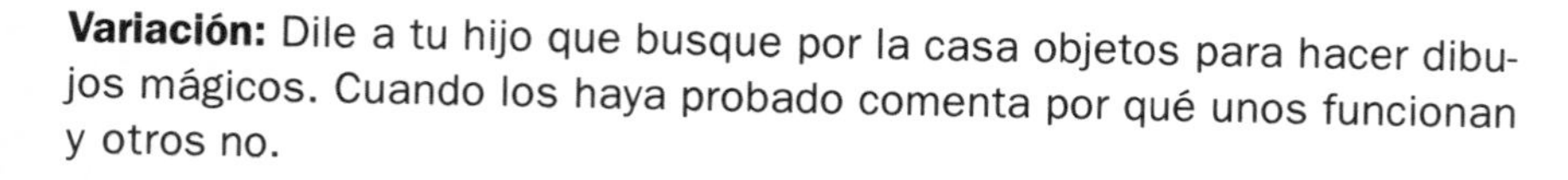

Variación: Dile a tu hijo que busque por la casa objetos para hacer dibujos mágicos. Cuando los haya probado comenta por qué unos funcionan y otros no.

Seguridad: Asegúrate de que los objetos sean seguros, y utiliza pinturas largas fáciles de manejar.

CON PINZAS

A esta edad tu hija sabe coger y soltar cosas con las manos sin ningún problema, pero con unas pinzas no le resultará tan sencillo.

Materiales:
- Objetos pequeños para coger, como un trozo de papel, un juguete pequeño, una galleta, un guisante, un collar o un sándwich
- El suelo o una mesa
- Unas pinzas
- Un cuenco grande

Aprendizaje:
- Capacidad mental/cognitiva
- Coordinación
- Desarrollo de las motricidades fina y gruesa
- Resolución de problemas
- Interacción social

Instrucciones:
1. Reúne varios objetos pequeños que se puedan coger con pinzas.
2. Siéntate enfrente de tu hija en el suelo o a la mesa y pon los objetos entre las dos.
3. Colócalos en fila del más fácil al más difícil de coger.
4. Pon el cuenco a un lado al alcance de tu hija.
5. Dale unas pinzas y deja que las pruebe.
6. Dile que intente coger el primer objeto con las pinzas y que lo ponga en el cuenco.
7. Dile que siga cogiendo objetos hasta que los haya puesto todos en el cuenco.

Variación: En vez de usar unas pinzas, dile a tu hija que coja los objetos con los dedos de los pies.

Seguridad: Asegúrate de que las pinzas sean fáciles de usar y no tengan puntas afiladas.

De 5 a 5 ½ años

COSAS DE ARCILLA

La arcilla ofrece nuevos retos a los niños en todos los niveles de desarrollo. He aquí algunas sugerencias para esta etapa.

Aprendizaje:	• Capacidad mental/cognitiva • Creatividad e imaginación • Expresión emocional • Desarrollo de las motricidades fina y gruesa

Materiales:

- Arcilla, plastilina u otro material similar
- Utensilios de cocina, por ejemplo una cuchara grande, un tenedor, un cuchillo sin filo, un cuenco pequeño, un prensador de ajos, una brocheta, un molde de galletas o una taza
- Una mesa

Instrucciones:

1. Compra plastilina o haz un trozo de arcilla.
2. Pon la arcilla y los utensilios de cocina sobre una mesa.
3. Deja que tu hijo use los utensilios para crear lo que quiera con la arcilla.
4. Si tiene problemas para empezar, proponle que haga animales, personas, comidas, prendas de vestir o juguetes.

Variación: Cuando termine, hornea la arcilla a 120 °C entre dos y tres horas para que se endurezca y luego deja que pinte su creación.

Seguridad: Enseña a tu hijo a usar los utensilios sin correr riesgos.

De 5 a 5 ½ años

CAMBIA LA HABITACIÓN

Reordena la habitación de tu hija para ver si se da cuenta de lo que has cambiado.

Aprendizaje:
• Capacidad mental/ cognitiva • Desarrollo del lenguaje y el vocabulario • Autoconocimiento/ autoestima • Interacción social • Exploración/ discriminación visual

Materiales:

- La habitación de tu hija

Instrucciones:

1. Dile a tu hija que mire bien su habitación.
2. Luego dile que salga y cierre la puerta.
3. Mientras esté fuera cambia o quita algunas cosas, por ejemplo poniendo la almohada sobre la colcha, dando la vuelta al reloj o colgando los zapatos donde se supone que debe estar la chaqueta.
4. Dile que vuelva a entrar en la habitación y mire a su alrededor.
5. Pregúntale si ve algo diferente.
6. Cuando identifique todos los cambios, deja que ella reordene la habitación para ti.

Variación: Jugad en otra habitación de la casa.

Seguridad: Asegúrate de que evite los objetos que puedan ser peligrosos cuando le toque a ella reordenar la habitación.

DIBUJO SECRETO

Si a tu hijo le gusta dibujar, disfrutará como un enano al descubrir tus dibujos secretos.

Materiales:

- Una pintura blanca y una caja de pinturas de colores
- Hojas de papel blanco

- Capacidad mental/cognitiva
- Expresión emocional
- Desarrollo de la motricidad fina
- Imágenes mentales
- Interacción social

Instrucciones:

1. Haz un dibujo con la pintura blanca en una hoja de papel. No dejes que tu hijo vea lo que has dibujado.
2. Dile que se siente a la mesa con el papel delante.
3. Dale la caja de pinturas y dile que en el papel hay un dibujo secreto.
4. Para que aparezca el dibujo debe pintar sobre el papel con las pinturas de colores. La pintura blanca resistirá los colores de las otras pinturas y revelará el dibujo secreto. Dale pistas si es necesario.
5. Deja que él haga un dibujo secreto para ti.

Variación: Usa rotuladores que cambien de color que incluyan uno invisible para revelar los dibujos secretos.

Seguridad: Utiliza hojas pequeñas de papel para que el niño no se canse de pintar en hojas grandes.

CAZA DE SOMBRAS

En este divertido juego hay que perseguir sombras en lugar de personas.

Materiales:
- Una zona soleada

Aprendizaje:	
	• Capacidad mental/ cognitiva • Desarrollo de la motricidad gruesa • Identidad/ autoconocimiento • Interacción social • Relaciones espaciales

Instrucciones:
1. Sal a la calle con tu hija un día soleado y dile que busque su sombra.
2. Corred de un lado a otro para pisaros las sombras intentando evitar que ella pise la tuya.
3. Ganará la persona que consiga pisar la sombra de la otra.

Variación: Ponte de forma que tu sombra se refleje en una pared. Dale a tu hija una pelota para que intente pegar a tu sombra con la pelota. Muévete para que no le resulte demasiado fácil.

Seguridad: Asegúrate de que la zona esté despejada para que la niña no tropiece con nada.

De 5 a 5 ½ años

SENTIMIENTOS

A veces los niños tienen dificultades para expresar sus sentimientos. Con este juego ayudarás a tu hijo a ser más consciente de sus sentimientos y a expresarlos de una manera adecuada.

Materiales:

- Fotografías de revistas o cuentos baratos en las que haya gente expresando emociones, por ejemplo llorando, riéndose, enfadada o asustada
- Unas tijeras

Aprendizaje:

- Conocimiento del cuerpo
- Capacidad mental/ cognitiva
- Expresión emocional
- Desarrollo de la motricidad gruesa
- Interacción social

Instrucciones:

1. Recorta fotos de gente expresando emociones.
2. Habla con tu hijo de lo que sienten y explícale cómo expresan sus sentimientos.
3. Pon las fotos boca abajo en un montón.
4. Cierra los ojos para que tu hijo dé la vuelta a la primera fotografía.
5. Dile que represente esa emoción sin usar palabras.
6. Tú debes adivinar qué emoción está intentando expresar.
7. Cuando lo aciertes cambiad de sitio.
8. Turnaos para dar la vuelta a las fotos y representar emociones.

Variación: Intentad expresar emociones usando sólo las manos.

Seguridad: Elige emociones adecuadas para el nivel de desarrollo de tu hijo.

COSAS IGUALES

Aprender a clasificar cosas forma parte del desarrollo cognitivo de tu hija. Proporciónale muchas oportunidades para separar y ordenar.

Materiales:

- Un molde de magdalenas o una caja de huevos
- Una mesa
- Entre 6 y 8 grupos de objetos pequeños para clasificar, como botones, cereales, cuentas, alubias, monedas o pasas

Aprendizaje:	
	• Capacidad de clasificación • Capacidad mental/ cognitiva • Desarrollo del lenguaje y el vocabulario • Capacidad para contar • Resolución de problemas

Instrucciones:

1. Coloca el molde o la caja sobre una mesa.
2. Pon los objetos en un montón al lado del molde o la caja.
3. Dile a tu hija que se siente a la mesa cerca de los materiales.
4. Dile que coja un objeto y lo ponga en uno de los huecos.
5. Dile que elija otro objeto y decida si va con el primero o necesita su propio hueco.
6. Comenta con ella en qué se parecen y en qué se diferencian esos objetos.
7. Dile que siga clasificando el resto de los objetos.
8. Dile que cuente los objetos de cada hueco para ver en cuál hay más.

Variación: Cuando vayas con tu hija al supermercado clasifica los alimentos en grupos, por ejemplo en fríos, calientes, carnes, verduras, cajas, bolsas, tentempiés y comida sana. Comenta con ella en qué se parecen y en qué se diferencian.

Seguridad: Asegúrate de que la niña no trague ningún objeto que no sea comestible.

De 5 a 5 ½ años

CUENTOS ESCENIFICADOS

Dale a tu hijo la oportunidad de representar sus cuentos favoritos.

Materiales:
- Libros de cuentos
- Una toalla o una sábana
- El suelo
- Una silla

Aprendizaje:
- Capacidad mental/cognitiva
- Creatividad/simulación
- Expresión emocional
- Desarrollo de la motricidad gruesa
- Desarrollo del lenguaje y el vocabulario
- Autoconocimiento/autoestima

Instrucciones:
1. Dile a tu hijo que elija varios cuentos que le gustaría representar.
2. Extiende en el suelo una toalla grande o una sábana para crear el escenario.
3. Siéntate en una silla y empieza a leer despacio un cuento.
4. Dile a tu hijo que se ponga en medio del escenario y represente cada escena a medida que la leas.

Variación: Graba en vídeo la representación y luego pónsela para que la vea.

Seguridad: Asegúrate de que las escenas no sean peligrosas para representar. Lee despacio y dale pistas para que empiece si es necesario.

De 5 a 5 ½ años

TRÍOS

Dicen que las cosas buenas vienen en grupos de tres. Juega a este divertido juego de tríos con tu hija.

Materiales:
- Revistas con muchas fotografías
- Unas tijeras
- Sobres pequeños
- Una hoja de papel y rotuladores (opcional)

Aprendizaje:
- Capacidad de clasificación
- Capacidad mental/ cognitiva
- Desarrollo del lenguaje y el vocabulario
- Capacidad para contar
- Interacción social

Instrucciones:
1. Busca en revistas fotografías de tres cosas que vayan juntas, por ejemplo una pizza con tres ingredientes, un traje de tres piezas, tres rasgos de una cara o una familia de tres personas.
2. Recorta los objetos y ordénalos en grupos de tres.
3. Mete los grupos en sobres y ponlos sobre una mesa.
4. Dile a tu hija que escoja un sobre, saque una foto y te diga qué es.
5. Pregúntale qué pueden ser las dos fotos restantes.
6. Dile que saque otra fotografía.
7. Comenta con ella en qué se parecen esas dos cosas.
8. Pregúntale qué podrá ser la siguiente foto.
9. Dile que saque la última foto.
10. Pregúntale qué tienen en común los tres objetos.
11. Haz lo mismo con el resto de los sobres.

Variación: Dile a tu hija que busque tres objetos para que averigües qué relación hay entre ellos.

Seguridad: Ten cuidado con las tijeras si la niña anda cerca.

De 5 a 5 ½ años

DIBUJOS CON PALILLOS

Anima a tu hijo a hacer un dibujo con palillos de dientes para ver qué se le ocurre.

Materiales:

- Palillos normales y de colores
- Una cartulina (opcional)
- Una mesa
- Pegamento

Aprendizaje:	
	• Capacidad mental/cognitiva • Creatividad e imaginación • Expresión emocional • Desarrollo de la motricidad fina

Instrucciones:

1. Pon unos cuantos palillos sobre una mesa.
2. Dile a tu hijo que se siente a la mesa y haga un dibujo con los palillos.
3. Si necesita ayuda para empezar enséñale a mover los palillos para hacer figuras, personas o animales.
4. Cuando termine, admira su obra de arte.
5. Deja que pegue el dibujo en una cartulina si quiere.

Variación: Dale un poco de plastilina para que una con ella los palillos.

Seguridad: Dile que tenga cuidado con los palillos para que no se pinche.

De 5 a 5 ½ años

CAMINOS PELIGROSOS

Con este juego, tu hija utilizará a la vez la mente y el cuerpo para hacer simulaciones.

Materiales:
- Una zona de juego grande
- Un trozo de cuerda de metro y medio

Aprendizaje:
• Causa y efecto • Capacidad mental/cognitiva • Creatividad e imaginación • Desarrollo de la motricidad gruesa • Desarrollo del lenguaje y el vocabulario • Resolución de problemas • Interacción social

Instrucciones:
1. Busca una zona grande en la que tu hija pueda andar con libertad.
2. Pon la cuerda en el suelo en línea recta con mucho espacio a su alrededor.
3. Dile a tu hija que se ponga en un extremo de la cuerda.
4. Dile que se imagine que es un camino de hielo y que ande con cuidado para no resbalar.
5. Cuando llegue al otro lado dile que vuelva por el camino imaginando que está cubierto de brasas.
6. Sigue imaginando superficies para que la niña ande sobre ellas de la forma más adecuada. Puede andar sobre hierba, arena, barro, agujas de pino, nieve o cola pegajosa.

Variación: Dile a tu hija que se quite los zapatos y ande con los ojos cerrados para que siga el camino tanteando la cuerda.

Seguridad: Asegúrate de que la zona esté despejada para que no se tropiece con nada.

¿QUÉ PASARÁ?

Enseña a tu hijo a anticipar cosas y a predecir consecuencias con este bonito juego.

Materiales:

- Una revista con muchas fotografías o un cuento
- Una silla cómoda

Aprendizaje:

- Capacidad mental/ cognitiva
- Expresión emocional
- Desarrollo del lenguaje y el vocabulario
- Autoconocimiento
- Interacción social

Instrucciones:

1. Siéntate en una silla cómoda con tu hijo y abre la revista.
2. Busca la primera fotografía interesante.
3. Habla con él de lo que ocurra en la foto.
4. Dile que se imagine qué pasará después.
5. Cuando te lo diga, pasa la página y busca otras fotos interesantes para hablar de ellas.

Variación: Lee un cuento y pregunta a tu hijo qué pasará después antes de volver la página.

Seguridad: Asegúrate de que en la revista no haya imágenes desagradables.

DE CINCO AÑOS Y MEDIO A SEIS AÑOS

En esta etapa tu hijo desarrollará de un modo espectacular sus capacidades físicas, cognitivas y sociales. Todo lo que ha aprendido hasta ahora constituirá la base de su futuro aprendizaje. Continúa proporcionándole experiencias que enriquezcan su capacidad lingüística, cognitiva y social. He aquí algunas sugerencias para potenciar aún más su desarrollo general:

- Lee a tu hijo a menudo para representar con él las historias, imaginar finales y hacer dibujos adaptados a los cuentos. Estas actividades le ayudarán a prepararse para aprender a leer y escribir ampliando aún más su vocabulario y su capacidad de expresión.
- Proporciona a tu hijo oportunidades para que adquiera confianza en su capacidad cognitiva, la clave del éxito en la escuela. Ayúdale a desarrollar sus habilidades sociales, la clave para tener éxito en la vida.
- Permítele que disponga de mucho tiempo libre, espacio y materiales para practicar su capacidad física. Enséñale nuevos ejercicios cuando esté preparado.
- Estimula su creatividad dejando que intente resolver sus problemas. Ayúdale si es necesario sin solucionarle las cosas. Hazle preguntas para que sepa cómo comenzar.
- Fomenta su interacción social para que siga aprendiendo a relacionarse con los demás. Anímale a que colabore y comparta cosas con sus amigos y disfrute de su compañía.
- Continúa potenciando el crecimiento y el desarrollo de tu hijo como siempre: simplemente jugando con él.

De 5 ½ a 6 años

REPRESÉNTALO

Comprueba si tu hija sabe expresarse con gestos con este divertido juego.

Materiales:
- Cuentos

Aprendizaje:	
	• Capacidad mental/ cognitiva • Simulación • Expresión emocional • Resolución de problemas • Autoconocimiento • Interacción social

Instrucciones:
1. Dile a tu hija que elija un cuento que quiera representar y que lo mantenga en secreto.
2. Cuando esté preparada dile que te cuente la historia sin hablar. Debe representarla sin palabras para que tú adivines lo que pretende expresar.
3. Mientras actúe di las palabras que expliquen qué está haciendo.
4. Cuando termine leed juntas el cuento para comprobar si lo has entendido bien.

Variación: Dile que represente otras cosas, por ejemplo lo que haya hecho en la escuela, una película que haya visto o una historia sobre algún miembro de la familia.

Seguridad: Anima a tu hija a elegir una historia que conozca bien para que no tenga problemas a la hora de representarla.

De 5 ½ a 6 años

¡NO ES ASÍ!

Pon a prueba la capacidad lógica de tu hijo con este juego para ver si se da cuenta de lo que está mal.

Materiales:

- Varios objetos que vayan juntos, como los ingredientes de un sándwich, las prendas de un traje o las piezas de un puzzle

Aprendizaje:	
	• Causa y efecto • Capacidad mental/ cognitiva • Desarrollo del lenguaje y el vocabulario • Resolución de problemas • Interacción social

Instrucciones:

1. Reúne los objetos necesarios para una actividad.
2. Comienza con esa actividad, pero haz algo mal para ver si tu hijo se da cuenta. Por ejemplo, si haces un sándwich di: «Primero hay que extender el pan sobre la mantequilla».
3. Él debería decir: «No es así».
4. Sigue con la actividad, haciendo algunas cosas bien y otras mal, para que intente pillarte cuando cometas un error.
5. Deja que él haga algo mal para ver si tú le pillas.

Variación: Cuenta una historia mezclando cosas. Pregunta a tu hijo qué está mal y si sabe cómo sigue la historia.

Seguridad: Si se confunde o se siente frustrado dale muchas pistas y anímale.

PASEO A CIEGAS

Lleva a tu hija a dar un paseo a ciegas para que tenga una nueva perspectiva del mundo.

Aprendizaje:
- Capacidad mental/ cognitiva
- Imágenes mentales
- Resolución de problemas
- Estimulación sensorial
- Interacción social
- Relaciones espaciales

Materiales:
- Una zona natural
- Una venda (opcional)

Instrucciones:
1. Busca una zona natural para pasear con tu hija.
2. Dile que cierre los ojos y confíe en ti. Si no le molesta es mejor que lleve una venda.
3. Dile que te dé la mano para andar.
4. Anímale a hablar de lo que oiga, huela y sienta.
5. Deteneos de vez en cuando para que toque un árbol, una piedra o una flor.
6. Dile que describa ese objeto y que adivine qué puede ser. Si acierta díselo.
7. Seguid paseando. Asegúrate de que esté cómoda, y dile que perciba todo lo que le rodea sin usar la vista.

Variación: Deja que ella te guíe en un paseo a ciegas, pero recuérdale que debe evitar los objetos peligrosos.

Seguridad: Ten cuidado con cualquier cosa con la que pueda hacerse daño o asustarse, por ejemplo con las ramas, los caminos estrechos o las piedras.

RELOJERO

Busca un reloj viejo u otro aparato de cuerda que ya no utilices para que tu hijo averigüe cómo funciona.

Materiales:
- Un reloj viejo u otro aparato de cuerda que se pueda desmontar con facilidad
- El suelo o una mesa
- Un destornillador y otras herramientas sencillas

Aprendizaje:	
	• Causa y efecto • Capacidad mental/cognitiva • Desarrollo de la motricidad fina • Desarrollo del lenguaje y el vocabulario • Resolución de problemas • Interacción social

Instrucciones:
1. Busca un reloj viejo o compra uno barato.
2. Ponlo en el suelo o sobre una mesa.
3. Dale a tu hijo un destornillador y otras herramientas sencillas.
4. Dile que desmonte el reloj.
5. Anímale a averiguar cómo puede hacerlo. Dale pistas si es necesario.
6. Cuando lo haya conseguido, habla de las piezas y de cómo funciona el reloj.

Variación: Dile a tu hijo que vuelva a montar el reloj, o busca otro aparato sencillo para que lo desmonte.

Seguridad: Asegúrate de que tenga cuidado con las herramientas y los bordes afilados.

De 5 ½ a 6 años

ACTIVIDADES DE COLORES

Tu hija está aprendiendo a expresarse con palabras, gestos y ejercicios de preescritura. Verás cómo se divierte expresándose físicamente con colores.

Materiales:
- Folios de color rojo, azul, amarillo y verde
- Rotuladores o pinturas (opcional)
- Una zona de juego grande

Aprendizaje:	• Capacidad mental/ cognitiva • Desarrollo de la motricidad gruesa • Imágenes mentales • Interacción social

Instrucciones:
1. Consigue cuatro folios de colores –rojo, azul, amarillo y verde– o dile a tu hija que los haga con papel blanco y pinturas o rotuladores.
2. Busca una zona grande en la que tu hija pueda correr de un lado a otro.
3. Explícale que cada vez que levantes un color debe realizar una actividad relacionada con ese color. Por ejemplo, si levantas el papel rojo debe saltar, si levantas el azul debe correr, y así sucesivamente.
4. Dile que se ponga en medio de la zona de juego.
5. Levanta uno de los papeles de colores y dile que realice la acción apropiada.
6. Levanta otro color para que pase inmediatamente a otra acción.
7. Sigue alternando los colores para que cambie de actividad hasta que se canse.

Variación: Añade más colores y más acciones para que el juego resulte más emocionante.

Seguridad: Comienza despacio para que tu hija no se canse enseguida.

De 5 ½ a 6 años

DIBUJOS MUSICALES

Además de ser muy relajante, dibujar con música le dará a tu hijo la oportunidad de expresarse de diferentes maneras.

Materiales:
- Un radiocasete con música grabada de diferentes tipos
- Un bloc de dibujo
- Rotuladores o pinturas

Aprendizaje:	• Capacidad mental/cognitiva • Creatividad e imaginación • Expresión emocional • Autoconocimiento/autoestima • Interacción social

Instrucciones:
1. Graba varios tipos de música, por ejemplo clásica, country, pop, rock, hip-hop y canciones infantiles. Graba cada estilo durante dos o tres minutos.
2. Dale a tu hijo un bloc de dibujo y pinturas o rotuladores.
3. Conecta la música y dile que dibuje lo que le venga a la mente.
4. Cuando cambie la música, dile que pase la hoja y haga otro dibujo inspirado por la nueva melodía.
5. Continúa hasta que se acabe la cinta.
6. Mezcla los dibujos y rebobina la cinta. Vuelve a ponerla para ver si recuerda qué dibujo va con cada música.
7. Dile que hable de cómo se ha sentido con cada tipo de música.

Variación: Graba unos cuantos sonidos que no sean necesariamente musicales, por ejemplo el zumbido de un motor, agua corriente o el gorjeo de unos pájaros. Repite los pasos anteriores para ver qué crea tu hijo.

Seguridad: No pongas música deprimente o difícil de seguir.

De 5 ½ a 6 años

CARAS

Mezcla unos cuantos rasgos faciales para crear caras grotescas y luego dile a tu hija que intente recomponerlas.

Materiales:
- Revistas con fotografías grandes de caras
- Unas tijeras
- Cola o cinta adhesiva
- Cartulinas

Aprendizaje:	• Capacidad de clasificación • Capacidad mental/ cognitiva • Desarrollo de la motricidad fina • Imágenes mentales • Resolución de problemas • Identidad/ autoconocimiento

Instrucciones:
1. Recorta caras grandes de revistas.
2. Recorta los ojos, las narices y las bocas y sepáralas en montones.
3. Pega el resto de las caras en cartulinas.
4. Luego coloca los ojos, las narices y las bocas en caras equivocadas.
5. Dile a tu hija que mire las caras ridículas que has hecho.
6. Pregúntale si es capaz de averiguar qué partes corresponden a cada cara.
7. Dile que reordene los rasgos faciales para recomponer las caras originales.
8. Pega esos rasgos para rehacer las caras.

Variación: Deja que elle mezcle rasgos de varias caras para que tú las recompongas.

Seguridad: Ten cuidado con las tijeras.

De 5 ½ a 6 años

BOLSAS TÁCTILES

Los niños aprenden muchas cosas con los sentidos. Ayuda a tu hijo a desarrollar su sentido del tacto con este divertido juego.

Materiales:

- Entre 6 y 8 bolsas de papel
- Entre 6 y 8 objetos para tocar, como una esponja, una bola de arcilla, un puñado de gomas, una lija, un caramelo pegajoso, un lazo o una flor
- El suelo o una mesa

Aprendizaje:

- Capacidad de clasificación
- Capacidad mental/cognitiva
- Desarrollo del lenguaje y el vocabulario
- Imágenes mentales
- Estimulación sensorial
- Interacción social

Instrucciones:

1. Mete cada objeto en una bolsa de papel y dobla la parte de arriba.
2. Pon las bolsas en el suelo o en una mesa entre tu hijo y tú.
3. Dile que elija una bolsa, la abra y meta la mano en ella sin mirar.
4. En vez de preguntarle qué hay dentro, dile que describa el objeto por el tacto.
5. Cuando termine su descripción, intenta adivinar de qué se trata.
6. Dile que saque el objeto de la bolsa para ver si has acertado.
7. Seguid jugando con el resto de las bolsas.

Variación: Dile a tu hijo que reúna unas cuantas cosas para que tú las describas y él adivine qué son.

Seguridad: Asegúrate de que los objetos sean seguros para el niño.

De 5 ½ a 6 años

GOLF DIGITAL

Tu hija controla cada vez mejor los dedos, y con este juego podrá disfrutar de su habilidad manual.

Materiales:

- Una zona de juego grande
- Pelotas de golf o de ping-pong
- 6 cartulinas verdes
- Unas tijeras
- Un rotulador negro
- Cinta adhesiva de dos caras

Aprendizaje:

- Causa y efecto
- Capacidad mental/ cognitiva
- Coordinación óculo-manual
- Desarrollo de la motricidad fina
- Capacidad para contar
- Resolución de problemas
- Interacción social

Instrucciones:

1. Busca una zona grande para jugar.
2. Redondea las cartulinas verdes con unas tijeras para hacer los hoyos de un campo de golf.
3. Numera los hoyos y dibuja en cada uno de ellos un agujero de unos ocho centímetros de diámetro.
4. Coloca los hoyos por la habitación en orden consecutivo.
5. Pega los hoyos al suelo con cinta adhesiva de dos caras.
6. Pon un trozo de cinta adhesiva en cada hoyo para que se adhieran las pelotas.
7. Pon las pelotas de golf o ping-pong a unos metros del primer hoyo.
8. Túrnate con tu hija para lanzar una pelota con los dedos y acercarla al primer hoyo.
9. Turnaos para meter la pelota en el hoyo.
10. Haced lo mismo con el resto de los hoyos.

Variación: Instala un campo de golf pequeño en el jardín para desarrollar la motricidad gruesa. Utiliza pelotas y palos de plástico y sé creativa al diseñar los hoyos.

Seguridad: Tened cuidado al lanzar la pelota con los dedos para no haceros daño.

De 5 ½ a 6 años

CIRCO DE PULGAS

Crea un circo de pulgas para ayudar a tu hijo a desarrollar su imaginación.

Materiales:
- Una cartulina
- Unas tijeras
- Rotuladores
- El suelo o una mesa
- Pulgas imaginarias

Aprendizaje:	• Capacidad mental/ cognitiva • Creatividad e imaginación • Desarrollo de la motricidad fina • Interacción social

Instrucciones:
1. Recorta tres círculos grandes de cartulina para formar un circo de tres pistas.
2. Pon los círculos en el suelo o en una mesa.
3. Siéntate con tu hijo enfrente de las pistas del circo.
4. Dile que es un circo de pulgas, y que los artistas son tan pequeños que casi no se ven.
5. Para estimular la imaginación de tu hijo señala con el dedo las diferentes actuaciones. Por ejemplo puedes decir: «Aquí está el león pulga con su domador. Mira cómo salta por el aro. ¡Lo ha conseguido! El domador le está dando un bocado por hacerlo tan bien. Y aquí vienen los payasos pulga. Fíjate en ese que está dando saltos». Continúa moviendo el dedo mientras describes los números para que tu hijo los siga con su imaginación.
6. Deja que te diga qué más ocurre en el circo señalando con el dedo las actuaciones.

Variación: Crea otros espectáculos en miniatura para que tu hijo imagine qué está ocurriendo.

Seguridad: Si se siente frustrado, recuérdale que es de mentirijillas.

De 5 ½ a 6 años

MANOS Y PIES

Comprueba si tu hija sabe distinguir las huellas de las manos y de los pies con un camino de huellas muy personal.

Materiales:
- Una cartulina
- Un rotulador
- Unas tijeras
- Cinta adhesiva de dos caras

Aprendizaje:
• Capacidad mental/ cognitiva • Desarrollo de las motricidades fina y gruesa • Resolución de problemas • Autoconocimiento • Relaciones espaciales

Instrucciones:
1. Traza la silueta de las manos y los pies descalzos de tu hija en una cartulina con un rotulador. Recorta las siluetas para hacer huellas de manos y pies.
2. Haz varias copias de las huellas.
3. Pon un trozo de cinta adhesiva de dos caras en la parte de debajo de las huellas.
4. Pégalas al suelo para formar un camino de un lado a otro de la habitación.
5. Dile a tu hija que ponga el pie en la primera huella de pie o la mano en la primera huella de mano utilizando el lado correspondiente: el derecho o el izquierdo.
6. Dile que siga poniendo las manos o los pies en las huellas apropiadas hasta llegar al final del camino.

Variación: Para que el juego resulte más emocionante separa un poco más las huellas.

Seguridad: Asegúrate de que la primera vez las huellas estén lo bastante cerca para que tu hija llegue a ellas con facilidad.

De 5 ½ a 6 años

PUEDO...

Ayuda a tu hijo a comprobar cuántas cosas puede hacer con una tabla en la que registre sus logros cada semana.

Materiales:
- Una hoja grande de papel
- Una regla
- Rotuladores
- Pegatinas o estrellas

Aprendizaje:	
	• Capacidad mental/cognitiva • Desarrollo de las motricidades fina y gruesa • Resolución de problemas • Autoconocimiento/autoestima

Instrucciones:
1. Haz una tabla en una hoja grande de papel trazando una cuadrícula.
2. Escribe «PUEDO...» en la parte de arriba.
3. Pon en la columna de la izquierda varias cosas que tu hijo sepa hacer ya, como lavarse los dientes, vestirse o dar de comer al perro.
4. Añade cada semana algo nuevo que haya aprendido a hacer. Revisa la tabla con él de vez en cuando para que pueda apreciar sus logros.

Variación: Anota las cosas que quieras que haga y ayúdale a alcanzar esos objetivos. Cada vez que consiga un logro inclúyelo en la tabla.

Seguridad: Intenta buscar cada semana al menos una cosa que haya conseguido, por pequeña que sea. Todos los grandes éxitos comienzan con un pequeño paso.

LETRAS MÁGICAS

Con un poco de imaginación tu hija puede convertir las letras del alfabeto en divertidos dibujos.

Materiales:
- Una mesa
- Un bloc de dibujo
- Rotuladores o pinturas

Aprendizaje:
- Capacidad mental/ cognitiva
- Creatividad e imaginación
- Coordinación óculo-manual
- Desarrollo de la motricidad fina
- Desarrollo del lenguaje y el vocabulario
- Ejercicio de prelectura
- Ejercicio de preescritura
- Interacción social

Instrucciones:
1. Siéntate a la mesa con tu hija.
2. Dile que te diga una letra del alfabeto.
3. Escribe esa letra con trazos grandes en una hoja de papel.
4. Pásale el papel y dile que transforme la letra en un animal, una figura o un objeto.
5. Haced lo mismo con otra letra.

Variación: Elige un número u otro símbolo y dile a tu hija que lo convierta en un dibujo divertido.

Seguridad: Haz las letras lo bastante grandes para que tu hija tenga suficiente espacio para desarrollar su creatividad.

HAZ UNA CADENA

Dile a tu hijo que haga una cadena de colores para contar los días que faltan para un acontecimiento especial.

Materiales:
- Una cartulina cortada en tiras de 2 × 10 centímetros
- Unas tijeras
- Rotuladores o pegatinas
- Un calendario
- Cinta adhesiva o pegamento

Aprendizaje:
- Capacidad mental/ cognitiva
- Desarrollo de la motricidad fina
- Capacidad para contar
- Imágenes mentales

Instrucciones:

1. Elige una fecha especial, por ejemplo un día de fiesta o el cumpleaños de tu hijo.
2. Ayuda al niño a contar los días que faltan para ese acontecimiento.
3. Recorta ese número de tiras de papel y añade una para el día especial.
4. Rotula la tira del día especial y numera las demás en orden ascendente comenzando por el 1.
5. Enseña a tu hijo a hacer una cadena formando un aro con la tira del día especial y pegando los extremos.
6. Coge la tira con el número 1 y pásala por el aro del día especial antes de pegar los extremos.
7. Continúa enlazando las tiras numeradas en orden ascendente.
8. Dile a tu hijo que quite cada día la tira con el número más alto rasgándola por la mitad. Así sabrá cuántos días faltan para el acontecimiento especial.

Variación: Haz un collar de caramelos o cereales y deja que el niño coma uno cada día.

Seguridad: Para esta actividad es mejor la cinta adhesiva que el pegamento. Ten siempre mucho cuidado con las tijeras.

De 5 ½ a 6 años

SIN MANOS

Anima a tu hija a hacer algo sin utilizar las manos para ver cómo soluciona el problema.

Materiales:
- Objetos para hacer cosas, por ejemplo una esponja para lavarse la cara, un calcetín para ponérselo en el pie o un sándwich para comer

Aprendizaje:
- Causa y efecto
- Capacidad mental/cognitiva
- Creatividad e imaginación
- Desarrollo de la motricidad gruesa
- Resolución de problemas
- Conocimiento del cuerpo

Instrucciones:
1. Elige una actividad complicada pero factible que tu hija pueda realizar sin usar las manos.
2. Dile que piense cómo puede llevarla a cabo. Puede utilizar los dientes, los pies, la cabeza u otras partes del cuerpo.
3. Observa cómo resuelve las dificultades y felicítala cada vez que supere una parte del reto.
4. Cuando termine dile que aplauda y grite: «¡Mira, mamá! ¡Sin manos!».

Variación: Dile a tu hija que ponga los brazos detrás de la espalda. Siéntate detrás de ella y pasa tus brazos por los huecos de los suyos. Luego dile que haga algo con tus manos dándole las explicaciones necesarias.

Seguridad: Procura que la actividad no sea muy difícil, y asegúrate de que no haga nada peligroso para resolver el problema.

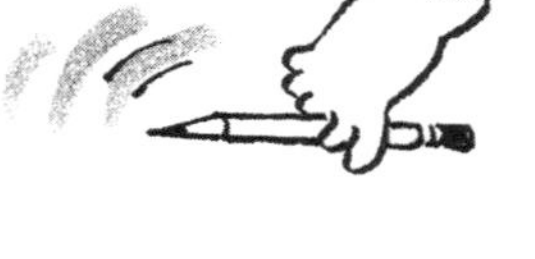

RUIDOS

Tu hijo se lo pasará en grande con este juego, en el que tendrá que identificar los ruidos que hagas tú.

Materiales:

- Objetos que hagan ruido, como el timbre de una puerta, un grifo, una aspiradora, un teléfono, una máquina de escribir, un tren, el motor de un coche o una cisterna
- El suelo o una mesa
- Una venda (opcional)
- Un magnetófono y una cinta (opcional)
- Una habitación tranquila

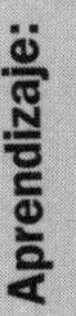

- Capacidad mental/ cognitiva
- Discriminación auditiva
- Imágenes mentales
- Interacción social

Instrucciones:

1. Haz una lista de varios objetos que hagan ruido familiares para tu hijo. También puedes grabar unos cuantos sonidos antes de comenzar el juego.
2. Siéntate con tu hijo en el suelo o a la mesa en una habitación tranquila y dile que escuche con atención. Ponle una venda o dile que cierre los ojos para que no pueda ver lo que hagas.
3. Haz el sonido de uno de los objetos de tu lista.
4. Pregúntale qué es. Dale pistas si es necesario.
5. Haz lo mismo con el resto de los sonidos.

Variación: Recorta fotografías relacionadas con los sonidos, ponlas en el suelo o en una mesa y dile a tu hijo que empareje los sonidos con las fotografías. Deja que él haga varios sonidos para que tú los identifiques.

Seguridad: Evita los sonidos fuertes que puedan asustarle o hacerle daño en los oídos.

De 5 ½ a 6 años

CONTORNOS

Averigua si tu hija es capaz de reconocer un objeto por su contorno con este divertido juego.

Materiales:
- Varios objetos con un contorno bien definido, como un molde de galletas, un tenedor, una pelota, un muñeco, un zapato, un coche de juguete, un lapicero o un cepillo de dientes
- Hojas de papel
- Un rotulador fino
- Una bolsa de papel

Aprendizaje:
- Capacidad mental/cognitiva
- Desarrollo del lenguaje y el vocabulario
- Imágenes mentales
- Resolución de problemas/capacidad deductiva
- Interacción social

Instrucciones:
1. Reúne varios objetos con un contorno bien definido.
2. Pon cada objeto sobre una hoja de papel y traza su contorno con un rotulador fino.
3. Apila los contornos y mete los objetos en una bolsa de papel.
4. Dile a tu hija que entre en la habitación.
5. Enséñale el primer contorno para que adivine a qué objeto corresponde. Dale pistas si es necesario.
6. Cuando lo consiga saca el objeto de la bolsa y ponlo sobre el contorno.
7. Haz lo mismo con el resto de los objetos.

Variación: Cuando reconozca el objeto dile que dibuje los detalles en el contorno. Deja que ella trace contornos para que adivines a qué corresponden.

Seguridad: Asegúrate de que los objetos sean seguros para la niña.

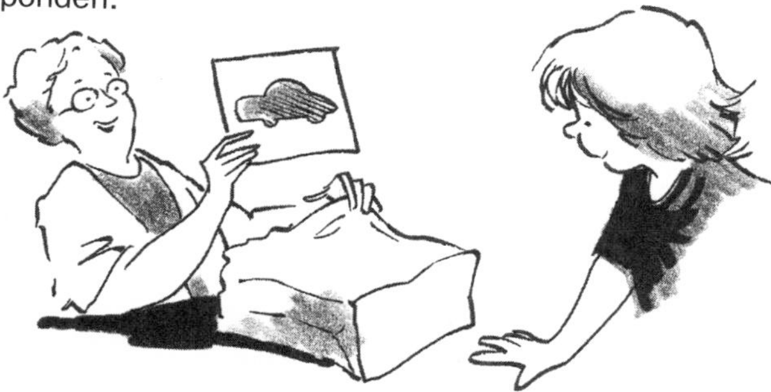

De 5 ½ a 6 años

CABEZA DE PAPEL

Ponle a tu hijo una bolsa de papel en la cabeza para que vea el mundo de una forma totalmente distinta.

Materiales:

- Una bolsa grande de papel
- Una mesa
- Rotuladores, pinturas, pegatinas y otros detalles para decorar la bolsa
- Unas tijeras

Aprendizaje:	
	• Capacidad mental/ cognitiva • Resolución de problemas • Autoconocimiento. • Conocimiento sensorial • Relaciones espaciales

Instrucciones:

1. Pon una bolsa de papel plana sobre una mesa con la solapa hacia abajo.
2. Dile a tu hijo que pinte y decore la bolsa para hacer una cabeza humana, de un monstruo o de un robot.
3. Recorta en la bolsa unos agujeros para los ojos.
4. Deja que el niño ande por la casa o por el jardín con la bolsa en la cabeza mirando a través de los agujeros.
5. Pregúntale cómo se siente andando con una cabeza de papel.

Variación: Para que el juego resulte más emocionante ponle en la cabeza una bolsa sin agujeros para los ojos. Vigílale con atención, porque sólo podrá ver el suelo.

Seguridad: Asegúrate de que la zona esté despejada, y no pierdas de vista al niño mientras ande con la bolsa en la cabeza.

MIKADO

Dale a tu hija la oportunidad de desarrollar su motricidad fina con este divertido juego.

Materiales:
- Una mesa o un suelo de madera
- Pajitas de plástico

Aprendizaje:	
	• Causa y efecto • Capacidad mental/ cognitiva • Desarrollo de la motricidad fina • Resolución de problemas • Interacción social

Instrucciones:
1. Siéntate a la mesa o en un suelo de madera.
2. Reúne varias pajitas y dile a tu hija que las sujete en posición vertical en medio de la mesa o el suelo.
3. Dile que suelte las pajitas y que observe cómo quedan amontonadas al caer.
4. Turnaos para coger una pajita del montón cada vez sin mover las demás.
5. Si un jugador saca una pajita sin mover ninguna otra puede quedársela.
6. Si mueve otra pajita, debe dejarla en el montón y pierde el turno.
7. Seguid jugando hasta que no quede ninguna pajita.

Variación: Jugad con palillos de dientes para que el juego resulte más emocionante.

Seguridad: Tened cuidado con los palillos para no pincharos.

De 5 ½ a 6 años

SIMÓN DICE

Juega con tu hijo a este popular juego adaptándolo a su nivel.

Materiales:
- Una zona de juego grande

Aprendizaje:	
	• Capacidad mental/ cognitiva • Desarrollo de las motricidades fina y gruesa • Desarrollo del lenguaje y el vocabulario • Capacidad de atención • Autoconocimiento • Interacción social

Instrucciones:
1. Ponte enfrente de tu hijo.
2. Después de decir «Simón dice» dile que haga un movimiento corporal y demuéstrale cómo se hace.
3. Explícale que sólo debe hacerte caso si dices antes las palabras «Simón dice».
4. Después de tres o cuatro instrucciones intenta engañarle dándole una orden sin decir «Simón dice». Él debería quedarse quieto, porque no has pronunciado esas palabras.
5. Si va bien sigue jugando.
6. Si se equivoca deja que haga de Simón.

Variación: En vez de decir «Simón dice», limítate a darle instrucciones. Intenta engañarle haciendo algo diferente para ver si te pilla.

Seguridad: Ve lento al principio para que tu hijo pueda asimilar las instrucciones sin sentirse frustrado.

De 5 ½ a 6 años

TRAJE DE SUPERHÉROE

Cualquier niño se puede transformar en un superhéroe con una toalla y unos imperdibles.

Materiales:
- Una toalla o un trozo de tela para hacer una capa
- 2 imperdibles
- Unos calcetines de colores, unos leotardos, una corona de papel, una máscara, unos guantes y una camiseta con un emblema (opcional)

Aprendizaje:	
	• Capacidad mental/cognitiva • Creatividad e imaginación • Simulación • Expresión emocional • Desarrollo del lenguaje y el vocabulario • Autoconocimiento/autoestima

Instrucciones:
1. Reúne los materiales que quieras utilizar para el traje de superhéroe de tu hija.
2. Sujeta una capa o una toalla a su camiseta con imperdibles.
3. Deja que añada otros accesorios si quiere.
4. Dile que piense en un nombre para su nuevo personaje.
5. Pregúntale qué superpoderes tiene y qué puede hacer.
6. Deja que te lo demuestre.

Variación: Haz un fuerte con una caja de cartón para tu superhéroe.

Seguridad: Dile a tu hija que es sólo un juego y que no haga nada peligroso.

De 5 ½ a 6 años

PARLOTEO

Cuando dos personas se turnan para hablar hay una conversación. Cuando hablan al mismo tiempo el juego se llama parloteo.

Materiales:
- 2 revistas con muchas fotografías
- El suelo o una mesa

- Capacidad mental/ cognitiva
- Desarrollo del lenguaje y el vocabulario
- Capacidad de atención
- Capacidad de memoria
- Interacción social

Instrucciones:
1. Dale a tu hijo una revista y quédate con la otra.
2. Sentaos en el suelo o a la mesa y abrid las revistas sin enseñaros las páginas.
3. Dile a tu hijo que elija una foto para hablar de ella y elige tú otra.
4. Marca treinta segundos en un cronómetro.
5. Cuando digas «Ya» comenzad a hablar de las fotos al mismo tiempo.
6. Intentad escuchar lo que diga el otro.
7. Cuando se acabe el tiempo, describid lo que haya dicho la otra persona.
8. Enseñaos las fotos para ver si lo habéis entendido bien.

Variación: Seguid los pasos 4 al 8 para contar historias basadas en un tema específico.

Seguridad: Si tu hijo se siente frustrado reduce el tiempo.

De 5 ½ a 6 años

MAPA DEL TESORO

Dale a tu hija un mapa para ver si puede encontrar un tesoro escondido en su propia casa.

Materiales:
- Una hoja grande de papel
- Rotuladores
- Un premio o un dulce

Aprendizaje:	
	• Capacidad mental/ cognitiva • Capacidad para seguir instrucciones • Imágenes mentales • Resolución de problemas • Relaciones espaciales

Instrucciones:
1. Dibuja un mapa del interior de tu casa.
2. Enséñaselo a tu hija y dile que recorra con él la casa para ver cómo están representadas las habitaciones en el papel.
3. Esconde un dulce o un juguete en una de las habitaciones y marca el tesoro en el mapa.
4. Dale otra vez el mapa para ver si puede encontrar el tesoro.

Variación: Deja que ella esconda algo para que tú lo encuentres.

Seguridad: Esconde el tesoro en un sitio seguro.

De 5 ½ a 6 años

GLOBOVOLEA

Ayuda a tu hijo a liberar un poco de energía manteniendo un globo en el aire.

Materiales:
- Una zona de juego grande
- Globos inflados

Aprendizaje:
• Conocimiento del cuerpo • Causa y efecto • Capacidad mental/ cognitiva • Desarrollo de la motricidad gruesa • Relaciones espaciales

Instrucciones:
1. Busca un espacio abierto para jugar con un globo sin preocuparte por romper nada.
2. Lanza el globo hacia tu hijo.
3. Antes de que se caiga al suelo dile que lo levante hacia arriba para devolvértelo.
4. Intentad mantener el globo en el aire lanzándolo de un lado a otro.

Variación: Coged un globo cada uno para intentar mantenerlo en el aire todo lo posible.

Seguridad: Asegúrate de que la zona esté despejada para no tropezaros con nada.

RED DE LANA

Dile a tu hija que siga una red de lana que le haga dar vueltas por una habitación.

Materiales:
- Lana de colores

Aprendizaje:	• Conocimiento del cuerpo • Causa y efecto • Capacidad mental/ cognitiva • Desarrollo de la motricidad gruesa • Resolución de problemas • Relaciones espaciales

Instrucciones:
1. Compra un ovillo de lana de colores.
2. Empieza a desenrollar la lana en una habitación atando el extremo al pomo de una puerta.
3. Sigue desenrollando la lana por la habitación poniéndola alrededor de varios muebles.
4. Busca un punto para que termine el camino.
5. Lleva a tu hija a la puerta y enséñale la red de lana.
7. Indícale dónde comienza y dile que siga la lana hasta el final recogiéndola a medida que avance.

Variación: Pon un pequeño premio para tu hija al final del camino.

Seguridad: No pongas la lana alrededor de lámparas u otros objetos que se puedan romper.

EL NIÑO Y SU MUNDO

Títulos publicados:

1. **Juegos para desarrollar la inteligencia del bebé** - *Jackie Silberg*
2. **Juegos para desarrollar la inteligencia del niño de 1 a 2 años** - *Jackie Silberg*
3. **Luz de estrellas. Meditaciones para niños 1** - *Maureen Garth*
4. **Rayo de luna. Meditaciones para niños 2** - *Maureen Garth*
5. **Enseñar a meditar a los niños** - *David Fontana e Ingrid Slack*
6. **Los niños y la naturaleza** - *Leslie Hamilton*
7. **Rayo de sol. Meditaciones para niños 3** - *Maureen Garth*
8. **El jardín interior** - *Maureen Garth*
9. **300 juegos de 3 minutos** - *Jackie Silberg*
10. **Educar niños felices y obedientes con disciplina positiva** *Virginia K. Stowe* y *Andrea Thompson*
11. **Juegos para hacer pensar a los bebés** - *Jackie Silberg*
12. **Luz de la tierra. Meditaciones para niños 4** - *Maureen Garth*
13. **El espacio interior** - *Maureen Garth*
14. **Comidas sanas y nutritivas para el bebé** - *Marie Binet y Roseline Jadfard*
15. **El ABC de la salud de tu hijo** - *William Feldman*
16. **Cómo contar cuentos a los niños** - *Shirley C. Raines y Rebecca Isbell*
17. **Niños felices** - *Michael Grose*
18. **Tu bebé juega y aprende** - *Penny Warner*
19. **Comidas sanas, niños sanos** - *Bridget Swinney*
20. **Enseña a tu hijo a ser creativo** - *Lee Hausner y Jeremy Schlosberg*
21. **Enseña a tu hijo a concentrarse** - *Lee Hausner y Jeremy Schlosberg*
22. **Los gestos del bebé** - *Linda Acredolo y Susan Goodwyn*
23. **Actividades para aprender. El bebé** - *Ina Massler Levin y Michael H. Levin*
24. **Actividades para aprender. El niño de 1 año** - *Marla Pender McGhee*
25. **Juegos para hacer pensar a los niños de 1 a 3 años** - *Jackie Silberg*

26. **El mundo emocional del niño** - *Isabelle Filliozat*

27. **Normas educativas para padres responsables** - *Nan Silver*

28. **Cómo hablar con tu bebé** - *Dorothy P. Dougherty*

29. **Actividades para aprender. El niño de 2 años** - *Ina Massler Levin y Michael H. Levin*

30. **Actividades para aprender. El niño de 3 años** - *Grace Jasmine*

31. **24 horas al día con tu bebé** - *Barbara Rowley*

32. **El arte de contar cuentos a los niños** - *Shirley C. Raines y Rebecca Isbell*

33. **Los primeros pasos del bebé** - *Susan Fox*

34. **La inteligencia emocional de los niños** - *Will Glennon*

35. **Niños vitales, niños sosegados** - *Sylvia Lendner-Fischer*

36. **¡Socorro! ¡Hay un niño pequeño en mi casa!** - *Nancy Kelly*

37. **Actividades para aprender. El niño de 4 años** - *Marla Pender McGhee*

38. **Actividades para aprender. El niño de 5 años** - *Julia Jasmine*

39. **Manual para padres** - *Gail Reichlin y Caroline Winkler*

40. **Juegos para desarrollar la inteligencia del niño de 2 a 3 años** *Jackie Silberg*

41. **Disciplina positiva** - *Jane Nelsen*

42. **Fiestas de cumpleaños infantiles** - *Penny Warner*

43. **Cómo desarrollar la autoestima de tu hijo** - *Silvana Clark*

44. **El despertar al mundo de tu bebé** - *Chantal de Truchis*

45. **Cuentos que ayudan a los niños a superar sus miedos** - *Ilonka Breitmeier*

46. **365 juegos para entretener a tu hijo** - *Trish Kuffner*

47. **De vuelta en casa con el recién nacido** - *Laura Zahn*

48. **Juegos para fomentar la actividad física en los niños** - *Julia E. Sweet*

49. **Juegos para el bienestar emocional de tu hijo** - *Barbara Sher*

50. **Cuentos para contar a tu hijo cuando está enfermo** - *Nicole Zijnen*

51. **Juegos y actividades para realizar en familia** - *Cynthia MacGregor*

52. **Juegos para entretener a los niños durante los viajes** *Robyn Freedman Spizman*

53. **Hoy lluvia, mañana sol** - *Sabine Seyffert*

54. **365 consejos para el cuidado del bebé** - *Penny Warner y Paula Kelly*

55. **Superpapá** - *Giovanni Livera y Ken Preuss*

56. **Tu hijo juega y aprende** - *Penny Warner*

Otros libros de interés en Ediciones Oniro

Para más información, visite nuestra web:
www.edicionesoniro.com

300 JUEGOS DE 3 MINUTOS

Actividades rápidas y fáciles para estimular el desarrollo y la imaginación de los niños de 2 a 5 años

JACKIE SILBERG

192 páginas
Formato: 15,2 x 23 cm
El niño y su mundo 9

JUEGOS PARA APRENDER

Actividades lúdicas e imaginativas para entretener a tu hijo y reforzar su autoestima

DOROTHY EINON

176 páginas
Formato: 16,5 x 24,5 cm
Libros ilustrados

JUEGOS Y ACTIVIDADES PARA HACER EN CASA

LINDA HETZER

240 páginas
Formato: 24,5 x 19,5 cm
Libros singulares

VAMOS A JUGAR

Divertidos juegos y actividades para estimular el desarrollo de tu hijo

FRED ROGERS

132 páginas
Formato: 19,5 x 24,5 cm
Libros singulares

Títulos publicados:

1. **Islas de relajación** – Andrea Erkert
2. **Niños que se quieren a sí mismos** – Andrea Erkert
3. **Jugando con almohadas** – Annette Breucker
4. **Juegos y ejercicios para estimular la psicomotricidad** – Bettina Ried
5. **Las religiones explicadas a los niños** – Daniela Both y Bela Bingel
6. **Aprender a estudiar** – Ursula Rücker-Vennemann
7. **El Islam explicado a los niños** – Sybille Günther
8. **Juegos y experimentos con el color, la luz y la sombra** – Monika Krumbach
9. **Dime dónde crece la pimienta** – Miriam Schultze